LES SUPER-PARFAITS
SONT SUPER-PÉNIBLES

Les chroniques de Jim Benton,
directement de l'école secondaire Malpartie

ion JOURNAL FULL NUL

UNE
NOUVELLE
ANNÉE

LES SUPER-PARFAITS
SONT SUPER-PÉNIBLES

JASMINE KELLY

Texte français de Marie-Josée Brière

Éditions
SCHOLASTIC

Catalogage avant publication de Bibliothèque et Archives Canada

Benton, Jim

Les super-parfaits sont super-pénibles / Jim Benton ;
traductrice, Marie-Josée Brière.

(Mon journal full nul. Une nouvelle année)

Traduction de: *The super-nice are super-annoying.*

ISBN 978-1-4431-2518-5

I. Brière, Marie-Josée II. Titre. III. Collection: Benton, Jim.
Mon journal full nul. Nouvelle année.

PZ23.B458Sup 2013   j813'.54   C2012-906946-9

Édition publiée par les Éditions Scholastic, 604, rue King Ouest, Toronto
(Ontario) M5V 1E1.

5 4 3 2 1   Imprimé au Canada 121 13 14 15 16 17

PROTÉGEONS NOS FORÊTS

Préservons notre environnement

Scholastic Canada a choisi d'imprimer les pages de ce livre sur du papier recyclé et a
réduit sa consommation de ressources[1] et sa pollution[1] dans les mesures suivantes :

	énergie	eau	gaz à effet de serre	déchets solides
48 arbres de nos forêts ont été sauvés.	22 millions de BTU	85,961 litres	1,900 kg	690 kg

Imprimé par **Webcom Inc.** sur du papier
Legacy Hi-Bulk White 100% à contenu postconsommation de 100 %.

[1]L'estimation des effets sur l'environnement a été faite au moyen du calculateur «Environmental Defense Paper Calculator».

97 %
FSC
www.fsc.org
MIXTE
Papier issu
de sources
responsables
FSC® C00407

Pour les membres de ma famille, qui sont toujours des paradigmes de savoir-vivre et d'autres niaiseries.

Un merci particulier aux gracieuses créatures délicates et distinguées de Scholastic : Shannon Penney, Anna Bloom, Jackie Hornberger et Yaffa Jaskoll. Merci aussi à Kristen LeClerc pour son aide propre et polie.

SI TU
NE PEUX PAS
ACCEPTER CETTE
INVITATION-LÀ,

je t'invite
à l'urgence
de l'hôpital...

À TOI DE
CHOISIR!

CE JOURNAL APPARTIENT À

Jasmine Kelly

ÉCOLE :   ÉCOLE SECONDAIRE MALPARTIE

PLAT PRÉFÉRÉ :   ~~SPAGHETTIS~~ N'IMPORTE QUOI D'AUTRE

NOTES : BONNES. PLUTÔT BONNES. JE FAIS MON POSSIBLE...

CHEVEUX : COMME ~~DES SPAGHETTIS~~ OUACHE! TOUT, MAIS PAS ÇA!

À toi qui es en train de lire mon journal full nul,

Te rends-tu compte à quel point c'est IMPOLI d'avoir le nez fourré dans le journal de quelqu'un d'autre? Qu'est-ce que les gens vont penser de toi et de ton nez, maintenant? Il n'y a certainement plus personne qui voudra te faire sentir des machins polis, genre bouquet de roses ou opéra.

Honnêtement, tu sais ce que les autres pensent de toi? Tu trouves vraiment ça **gentil**, ce que tu fais là? (Oh, et puis, assieds-toi comme il faut!)

En tout cas, pas besoin de t'excuser jusqu'à demain matin, maintenant que le mal est fait. Parce que ça aussi, ça m'énerve!

Tous les **experts en bonnes manières** du monde entier te le diront : lire le journal de quelqu'un d'autre, ce n'est pas seulement comme si tu mâchais de la gomme la bouche ouverte, c'est comme si tu mâchais la bouche ouverte, en bobettes, pieds nus dans un bol de soupe et un doigt dans le nez. Et si ce que tu mâchais, ça n'était pas de la gomme, mais un morceau de poulet cru enveloppé dans un vieux cahier d'école où quelqu'un aurait écrit une blague dégoûtante avec une écriture illisible.

Signé *Jasmine Kelly*

P.-S. Je sais qu'il ne faut jamais dire aux gens qu'ils sont pénibles, dégoûtants ou tartes, mais je n'ai jamais **dit** ça à personne. Je l'ai juste **écrit.** Et si vous, les parents, vous me punissez pour ça, je saurai que vous avez lu mon journal, ce qui serait d'une impolitesse inexcusable.

DIMANCHE 1ᵉʳ

Cher journal full nul,

Tu penses probablement qu'une narine, c'est parfaitement inoffensif. Mais **tu te trompes**!

En ce moment, mon émission préférée de tous les temps (à part mes autres émissions préférées de tous les temps) passe à la télé. Mais je suis dans ma chambre, incapable de la regarder à cause d'une *narine*.

Je sais ce que tu penses, nul. Tu te dis sûrement : « Jasmine, les narines sont parmi les orifices les **moins dangereux** dans la tête. »

Ouais, bon... C'est vrai que la bouche est l'orifice le plus dangereux, puisqu'elle peut à la fois mordre ET siffler une chanson tout croche, mais les narines présentent des dangers qui dépassent ton imagination.

Et puis, mon très cher nul, tu trouves probablement mes yeux très beaux ce soir. Alors, **je t'embrasse!**

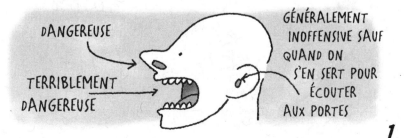

DANGEREUSE

TERRIBLEMENT DANGEREUSE

GÉNÉRALEMENT INOFFENSIVE SAUF QUAND ON S'EN SERT POUR ÉCOUTER AUX PORTES

1

Ah, cher nul! Tu as **TELLEMENT** de choses à apprendre au sujet des narines! Tu connais un tas de choses sur les yeux — et tu sais comme ils peuvent être beaux —, mais si tu devais passer un examen sur les narines, tu aurais un C.

D'ailleurs, puisqu'il est question de narines... Laisse-moi te raconter ce qui s'est passé vendredi. Je vais quand même tâcher de t'épargner les détails les plus sordides.

Pendant le dîner, Pinsonneau a ri tellement fort qu'un bout de spaghetti lui est **sorti par le nez**. La nouille est restée pendue là pendant un bon moment, ce qui était parfaitement dégoûtant. Mais en même temps, j'étais complètement fascinée parce que je me suis imaginé pendant une seconde qu'une souris pourrait très bien descendre par cette corde minuscule.

Isabelle, qui a des méchants grands frères, est immunisée contre les substances chimiques déclenchant le **dégoût** dans le cerveau. Alors elle a tendu la main, a sorti lentement la nouille de la narine de Pinsonneau et l'a déposée doucement sur le dos de ma main.

2

Il y a deux idées qui se bousculent dans ta tête, dans des moments comme celui-là. La première, c'est : OOOOOOUUUUUUAAAAAAHHHHHH!

D'accord, cette nouille-là est entrée dans la bouche de Pinsonneau à l'état de spaghetti. Et les spaghettis — même ceux de la cafétéria — sont un de mes plats préférés à vie. Mais une fois qu'un objet sort par une narine, ça devient automatiquement une crotte de nez. C'est sci-en-ti-fique. Et ça marche pour tout. Si tu te mets un raisin dans le nez, même pour une **toute petite seconde**, quand tu le ressors, c'est une crotte de nez.

Tu ne me crois pas? Pourquoi tu ne le manges pas, ce raisin alors?

Parce que maintenant, c'est une crotte de nez.

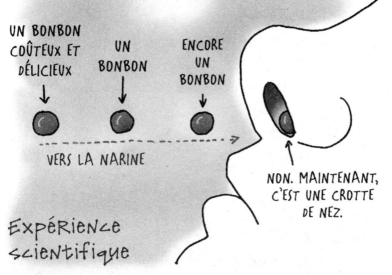

UN BONBON COÛTEUX ET DÉLICIEUX

UN BONBON

ENCORE UN BONBON

VERS LA NARINE

NON. MAINTENANT, C'EST UNE CROTTE DE NEZ.

EXPÉRIENCE scientifique

3

La deuxième chose qui te passe par la tête, quand tu paniques comme ça, c'est que si tu battais les bras très vite, tu réussirais peut-être à t'envoler pour t'éloigner de cet horrible spaghetti.

Personne ne peut voler, bien sûr, mais ça n'empêche pas d'essayer. Tout ce que tu vas réussir à faire, c'est te projeter en l'air derrière ta chaise, assez fort pour aller atterrir sur Mlle Brunet, la surveillante de la caf. Alors, elle va **s'écrouler** par terre, et tu vas avoir l'impression qu'un météorite vient de frapper la Terre — un météorite fait d'une énorme masse de jambon très humide.

Je ne dis pas que c'était sa faute, mais on s'entend : elle en demande **vraiment** un peu trop aux minuscules petits talons qu'elle a sous les pieds. C'est comme essayer de faire tenir une boule de quille en équilibre sur une paire de baguettes chinoises.

En tout cas, après ça, tout est un peu embrouillé. Si je me rappelle bien, j'ai passé le reste de l'heure du dîner à me frotter la main pour enlever les résidus du nez de Pinsonneau.

La Brunet : comme un divan rembourré de viande hachée crue

Comme par exprès, mon père avait préparé des spaghettis pour le souper, ce soir-là. Normalement, ça aurait été un énorme soulagement parce que N'IMPORTE QUOI D'AUTRE QUE LA CUISINE DE MA MÈRE est un de mes plats préférés. Mais même si je voulais vraiment en manger, je n'ai **pas** été capable. Parce que maintenant, pour moi, un spaghetti, ça n'est plus un spaghetti. C'est un sous-produit de la narine de Pinsonneau.

Alors, on a eu une petite dispute au sujet du souper, et mes parents m'ont envoyée dans ma chambre. Bon, j'avoue... J'ai peut-être dit que le repas, c'était de la crotte de nez, sans expliquer ce qui s'était passé vendredi. Je l'ai peut-être même hurlé, et j'ai peut-être repoussé mon assiette brusquement, et j'ai peut-être hurlé encore un tout petit peu.

C'est pour ça que je rate mon émission. C'est la faute de la narine de Pinsonneau, et peut-être un peu celle d'Isabelle.

Il faut dire que ce n'est pas toujours facile d'interpréter correctement les comportements d'Isabelle. Un jour, j'ai cru qu'elle m'avait volé mon dessert. Mais elle m'a expliqué que c'était juste un « PARTAGE SURPRISE ».

LUNDI 2

Bonjour, journal!

Presque tous mes profs sont nouveaux cette année. C'est parce que les profs apprennent seulement ce qu'il leur faut pour enseigner jusqu'à un certain niveau. Par exemple, les profs de maths de troisième année sont **incapables** de faire des maths de quatrième année. Ils apprennent seulement jusqu'au niveau de la troisième année, alors c'est ce qu'ils enseignent, à vie. Et c'est pour ça qu'on doit toujours avoir des nouveaux profs.

Penses-y un peu : les profs de maternelle ne savent probablement pas aller aux toilettes tout seuls...

En fait, les profs du préscolaire signent leurs chèques avec de la peinture au doigt.

Mon nouveau prof d'études sociales s'appelle M. Tremblay. Je sais que ça a l'air d'un faux nom, comme ça, mais si tu devais te choisir un faux nom, pourquoi irais-tu choisir Tremblay? Tout le monde saurait que c'est un faux nom. C'est clair : les gens qui prétendent s'appeler Tremblay sont les seuls qui disent la vérité.

Et puis, on n'a aucune raison de croire qu'il utilise un faux nom.

Sauf qu'il porte une perruque.

Faut pas que je regarde... Faut pas que je regarde...

Quand un homme porte une perruque, on dit qu'il a une moumoute. Comme ça, il n'est pas le seul à avoir l'air ridicule. Sa perruque aussi.

Pour qu'il ait l'air **moins** ridicule, et sa perruque aussi, il faudrait qu'il porte sa moumoute uniquement quand il fait noir.

Comme ça, personne ne pourrait les voir.

Fibres simili-cheveux peu convaincantes

Vrais cheveux qui dépassent de la moumoute

Couleur différente du reste des cheveux

Odeur qui rappelle les cheveux de Barbie

Je ne comprends pas vraiment les hommes qui se préoccupent de leurs cheveux comme ça. Il y a beaucoup d'hommes chauves qui sont très séduisants comme...

Heu..
Homer Simpson et

Heu..
Voldemort et

Heu...
mon gros orteil.

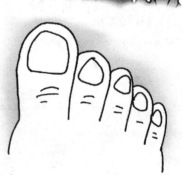

D'accord, monsieur Tremblay. Gardez-la, votre moumoute! Vous pourriez aussi essayer de vous trouver un sourire au magasin.

Comme la plupart des gens, je **déteste** l'alphabet. Surtout parce que je ne peux pas mettre les mots en ordre alphabétique sans chanter la petite chanson de l'alphabet dans ma tête. Et tout le monde s'en rend compte, parce que je hoche la tête en cadence.

J'ai pensé à ça aujourd'hui parce que M. Tremblay nous a fait commencer une unité sur la façon dont les gens des autres cultures abordent différentes questions. On fait beaucoup de projets en groupe à l'école, il paraît que c'est une excellente préparation pour le **vrai monde**. C'est parce que les projets tournent souvent mal dans le vrai monde, alors on doit vite apprendre à blâmer quelqu'un de notre entourage.

Tu es vraiment un adulte quand tu maîtrises bien l'art de blâmer les autres.

Mais aujourd'hui, oh surprise!, pour la première fois de ma vie, je dois dire que l'alphabet m'a été UTILE puisqu'il a bien dû reconnaître que le *J* (pour Jasmine) était plutôt proche du *H* (pour Henri Riverain, le huitième plus beau gars de la classe). M. Tremblay a formé les équipes en suivant l'ordre alphabétique de nos prénoms, alors il nous a mis ensemble pour le prochain projet.

Il y a très, très longtemps – genre des **mois** –, j'aurais été complètement paralysée en apprenant que j'allais être jumelée à Henri. Mais je suis plus mature, maintenant. Je suis une jeune femme sophistiquée, alors j'ai juste mouillé mes dessous de bras.

Je sais ce que tu penses, cher toi. Tu te demandes où était passée Isabelle, hein?

Combien de fois est-ce que j'ai entendu cette question-là?

La réponse, c'est qu'elle était au bureau du directeur. Depuis quelque temps, le directeur a décidé de sermonner Isabelle **avant** qu'elle fasse des bêtises. Il s'amuse à essayer de deviner quel mauvais coup elle va encore inventer. C'est ce que je fais depuis des années. C'est plutôt amusant, je dois dire.

Ce qui se passe	Ce qu'elle va faire à mon avis...
Un ours parlant entre dans la pièce!	Assommer l'ours. Lui vider les poches.
Des extraterrestres envahissent la Terre!	S'allier aux extraterrestres pour se partager la Terre.
Des gens se font manger par des araignées géantes!	En fait, je pense qu'elle trouverait ça cool.

Si Isabelle n'avait pas été au bureau du directeur, c'est elle qui aurait été jumelée à Henri parce qu'évidemment, son prénom commence par un *I*. Ce qui est très approprié, d'ailleurs, puisque presque tous les adjectifs qui s'appliquent à elle – du moins, d'après les profs – commencent par un *I* :

Impertinente

Irrévérencieuse

Incorrigible

Mais elle n'était pas dans la classe, et moi j'y étais, alors c'est moi qui fais équipe avec Henri. Quand elle est revenue, Isabelle a été jumelée à Yolanda, qui est une fille **délicate**.

Tu vois le genre? Les gens délicats sont très gentils, ils ont un petit cou mince et bien propre, et des petits doigts bien propres, juste parfaits pour tenir des petits sandwiches bien propres, et des objets en céramique fragiles et bien propres. Personne n'a jamais de problème avec les gens délicats – ils n'élèvent jamais le ton et ils disent toujours oui. Je te ferais bien un portrait de Yolanda, mais je ne me rappelle pas exactement de quoi elle a l'air, juste qu'elle est massivement délicate. Je m'en souviendrai mieux demain.

De toute manière, quand Isabelle est revenue, elle s'en fichait pas mal de ne pas être jumelée à Henri. Elle est comme ça, Isabelle. Elle est tout à fait capable de travailler avec n'importe qui, du moment que c'est l'autre qui fait tout le travail.

Mais le plus drôle, c'est que M. Tremblay a jumelé Angéline à Michel Pinsonneau. Parce qu'on a appris que Michel, c'est son **deuxième prénom**. (C'est ce qui est écrit sur les listes de présence, cette année.) Son vrai prénom, c'est Antonio, mais Isabelle dit que, puisque tous les mâles de la famille de Michel s'appellent Antonio, la plupart se font appeler par leur deuxième prénom. Intéressant, non?

Non. Pas vraiment.

ANTONIO MICHEL
(PINSONNEAU)

ANTONIO LICORNIO

MICRO ANTONIO

ANTONIO CRANIO

ANTONIO PONEYO

FRED
(ADOPTÉ)

ANTONIO KEKCHOSO

13

Bien sûr, tout ça n'est pas nécessairement une bonne nouvelle. J'ai eu une très mauvaise note pour le dernier projet d'études sociales — je veux dire PLUS QUE mauvaise. J'étais jumelée à Isabelle. Notre travail portait sur les premiers colons, et Isabelle a dit qu'elle avait trouvé un paquet de renseignements sur le fait qu'ils s'habillaient en noir parce qu'ils étaient des ninjas.

Eh bien, devine quoi? Ce n'était pas vrai. On a eu zéro.

C'est comme ça, les travaux d'équipe. Il y a quelqu'un qui a menti à Isabelle au sujet de cette histoire de ninjas, et on a toutes les **deux** payé pour.

Mais cette année, c'est beaucoup plus sérieux, alors il va vraiment falloir que je travaille sérieusement.

Quelques mensonges qu'Isabelle a entendus

Les premiers colons étaient des ninjas!

Ils ont été chassés d'Europe par des yétis!

Ils étaient si fâchés qu'ils se sont mis à casser des pierres en faisant du karaté!

14

MARDI 3

Cher nul,

Aujourd'hui, au dîner, la gentille Angéline a fait circuler gentiment une gentille carte pour Mlle Brunet, qui s'est foulé une de ses chevilles-troncs-d'arbre vendredi parce qu'elle avait décidé de se tenir derrière moi juste au moment où je me suis fait « **nouiller** ».

Ce n'est pas gentil, ça?

En réalité, c'est moi qui méritais d'avoir le droit de m'excuser gentiment auprès de la Brunet, mais Angéline s'est approprié les excuses sans se donner la peine de commettre le crime.

Angéline souffre d'un syndrome qui la rend très pénible. Les médecins appellent ça le **syndrome de Gentil**, ou le **gentillisme**, et ils sont à peu près certains qu'il n'y a pas de traitement. Le problème, c'est que, quand leur médecin essaie de les guérir, les gens atteints de ce syndrome sont tellement reconnaissants qu'ils lui envoient des petits paniers de cadeaux, et – **BAM!** – c'est la rechute.

C'est vraiment tragique.

GENTILLISME - CONNAISSEZ-VOUS LES RISQUES?

J'aurais probablement dû être désolée d'avoir blessé quelqu'un. Mais il y a Sébastien... **Sébastien...** C'est lui qui a remplacé la Brunet comme surveillant de la caf pendant qu'elle se remet de sa blessure.

Quand on voit quelqu'un qui est aussi charmant que lui, on accepte plus facilement d'avoir blessé quelqu'un d'autre.

Sébastien est plus vieux que nous, mais il est encore assez jeune pour que ça ne soit pas terriblement bizarre de le trouver attrayant. Il n'est pas vieux, mais il n'est plus un enfant non plus. Et il est assez jeune pour ne pas vouloir se faire appeler <u>M.</u> Chose ou <u>M.</u> Machin.

Il a cette allure décontractée qui donne l'impression qu'on le connaît depuis des années, même si on ne l'a jamais rencontré.

Sébastien s'habille bien, et il a de la classe. Difficile de croire que lui et les garçons de l'école appartiennent à la même espèce et qu'un jour, nos **garçonnets** deviendront des adultes qui feront attention à ce qu'ils font quand il y a d'autres êtres humains aux alentours, et qui sentiront moins fort.

Sébastien n'a pas dit grand-chose aujourd'hui. Il s'est assis et il a commencé à manger un lunch exactement comme les nôtres. J'ai remarqué tout de suite qu'il n'y avait rien qui lui ressortait par les narines. Veut, veut pas, une femme trouve toujours ça **impressionnant**.

J'ai attendu que Sébastien regarde dans notre direction, prête à lui faire un sourire amical et charmant. Et puis, quand l'occasion s'est présentée, je lui ai fait **deux** sourires, juste au cas où le premier passerait inaperçu.

Je me suis rendu compte, seulement après, qu'un sourire, c'est bien, mais que le même sourire en double, c'est plus inquiétant que plaisant. C'est même **très, très légèrement** complètement nul. Il faut croire que ça ne se fait pas, sourire en double.

Demain. Demain ça ira mieux. Demain, pas de double sourire.

UN, C'EST MIEUX.

17

MERCREDI 4

Allô toi!

Mme Avon, la prof de français, est **repartie** sur la poésie. Je commence à comprendre que la poésie, c'est l'art d'éviter soigneusement de dire ce qu'on a à dire.

Ce qui est bizarre, c'est que tant de gens écrivent et lisent de la poésie. Il faut dire que je trouve aussi bizarre qu'il y ait encore des vrais rois et des vraies reines dans le monde alors qu'il n'y a plus de **valets**.

C'est notre fils. Il veut être un 8 ou un 9 quand il sera grand.

En tout cas, Mme Avon veut qu'on profite de toutes les occasions pour écrire des petits poèmes d'ici la fin du mois. Si tu veux mon avis, je pense qu'on devrait abandonner la poésie pour passer à des formes littéraires plus importantes, par exemple les **autocollants de pare-chocs.**

Je suis convaincue que les autocollants de pare-chocs, c'est l'avenir de la littérature parce que j'ai des amis qui refusent de lire quoi que ce soit de plus long.

Je parie que je pourrais écrire tout un scénario de film sur un autocollant comme ça.

ÇA, LÀ!

LE PÈRE DE LUKE EST UN PAUVRE TYPE. CE ROBOT PARLE TROP. CES SABRES SONT DANGEREUX!

TROUVEZ LE BILLET D'OR POUR GAGNER UN PRIX. PAS VRAIMENT. MAIS OUI, JE BLAGUE!

HARRY EST SUPER-FÂCHÉ CONTRE LE GARS CHAUVE EN ROBE NOIRE. HÉ! UN SERPENT QUI PARLE!

Après le cours de français, on est allés manger. Tout le monde sait que les profs et les autres adultes de l'école profitent de l'heure du lunch pour refaire le plein d'énergie, le plus loin possible de nous, pour pouvoir survivre jusqu'à la fin de la journée. (D'après l'odeur, je dirais qu'ils font ça avec du café et un genre de casserole bœuf-champignons.)

Mais comme Sébastien est surveillant à la caf, pour le moment, il est obligé d'interagir avec nous pendant l'heure du lunch. Il s'est même **arrêté** à notre table, à midi, et il nous a gentiment dit bonjour.

Il a l'art d'être très poli sans avoir l'air d'une vieille grand-tante, et il nous donne envie d'être aussi polis que lui.

Même Isabelle s'en est rendu compte. Quand il lui a dit bonjour, elle lui a répondu avec son grognement le **plus poliment distingué.**

Pinsonneau et Henri étaient là, et peut-être Yolanda aussi, mais si c'était le cas, elle était trop délicate pour que je m'en souvienne. Angéline était encore en ligne pour se faire servir, alors j'étais nettement **la plus belle fille** de la table — en partie parce qu'Isabelle essayait d'ouvrir un petit pot de pouding avec ses dents, et en partie parce que j'avais réussi à ouvrir mon pot avec mes jolies petites mains et que je me préparais à déguster mon pouding avec une jolie cuiller de plastique qui mettait joliment en valeur mes jolies petites mains.

Tu diras ce que tu voudras, j'ai le tour de manier une cuiller à pouding.

C'est comme un ballet de cuiller!

J'ai besoin d'une cuiller d'or précieux pour manger ce précieux pouding.

Cette fois, j'ai fait bien attention de faire **un seul** sourire à Sébastien, ce qui est à mon avis une bonne façon de montrer à quelqu'un qu'on n'est pas une hurluberlue. Et **ne pas être une hurluberlue**, c'est un bon point de départ pour bâtir une solide amitié. Je lui ai aussi offert du pouding, ce qui était très généreux de ma part. Et tout le monde sait que la générosité, c'est un autre bon point de départ pour tisser une solide amitié.

Mais je me rends compte maintenant que je n'ai pas dit un mot en lui montrant mon pouding. Je me suis contentée de lui mettre ma cuiller sous le nez, ce qu'il n'a peut-être pas interprété comme une offre, mais plus probablement comme si quelqu'un — une petite sotte, disons — voulait dire : « R'gard, m'sieu. J'ai du poudine. Plâiiin d'poudine. Y é-t-icitte. Tu l'vois-tu? »

22

Sébastien m'a souri et il est parti. Si Isabelle n'avait pas été aussi occupée à recracher des petits bouts du couvercle en aluminium de son pot de pouding, je suis sûre qu'elle aurait pu m'aider en usant de son charme. Ce n'est pas tout le monde qui le voit, mais elle est vraiment charmante quand elle n'est pas en train de **mordiller** son dessert pour l'ouvrir.

 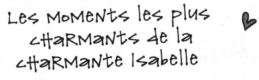

LES MOMENTS LES PLUS CHARMANTS DE LA CHARMANTE ISABELLE

A nourri un canard une fois, sans rien demander en retour.

A apporté des biscuits aux personnes âgées à Noël et les a vendus à prix très abordable.

A avoué quelque chose.

Je veux dire...
Un jour
elle le fera.
Je le sais.
Un jour.

JEUDI 5

Cher journal,

Le charme, c'est bien beau, mais ça ne peut pas faire disparaître le pain de viande.

Comme tous les jeudis, c'était le jour du pain de viande à la caf. Juste comme on venait de s'asseoir pour s'y attaquer, Sébastien est passé. Cette fois, je savais **exactement** quoi faire. J'ai montré mon pain de viande du doigt et j'ai fait un brillant commentaire critique sur sa qualité : « Beurk, hein? » Et puis j'ai ajouté, astucieuse : « Ouache! »

C'était le genre de commentaire auquel n'importe quel séduisant surveillant remplaçant de caf aurait dû répondre favorablement.

On aurait pu s'attendre à ce qu'il réponde « Beurk ». Mais non. Il m'a juste regardée froidement, comme si j'étais juste une double-sourieuse ou une offreuse-de-poudine, et il est parti.

C'est alors qu'Angéline a fait une chose **absolument épouvantable.**

BEURK

ALLONS! CE N'EST PAS BIZARRE, ÇA!

Elle a fait appel à des pouvoirs surnaturels étranges, comme si elle était un vampire, un cobra démoniaque ou **un cobra vampire démoniaque gentiment blond et pénible**, et elle lui a adressé la parole... directement, comme si elle le connaissait déjà!

Elle lui a dit gentiment :

— Bonjour Sébastien. Voulez-vous vous joindre à nous pour le lunch?

Il s'est arrêté, il a souri et il fait la chose la plus extraordinaire au monde.

Il a répondu gentiment :

— Oui, merci, avec plaisir.

Et il s'est assis.

GENTILLESSE

SÉRIEUSEMENT! C'ÉTAIT QUOI, ÇA?

Je te jure! Ça s'est passé **exactement** comme ça. Elle l'a invité gentiment, tout simplement, et il s'est assis tout aussi gentiment. Isabelle était tellement étonnée qu'elle a laissé une croquette de pommes de terre tomber de sa bouche. (Pinsonneau en a laissé tomber plusieurs, mais personne n'a fait attention.)

C'était **MOI** qui avais découvert Sébastien. C'était **MOI** qui avais pris tout ce temps pour établir le contact avec lui. J'ai enfilé l'appât sur l'hameçon, j'ai mis la ligne à l'eau et maintenant, regarde qui attrape le poisson! En plus, je n'aime même pas ça, la pêche, Angéline! C'est très méchant de m'obliger à prendre ça comme exemple.

J'ai beau essayer d'être amie avec Angéline, elle a le don de faire quelque chose qui me dérange à tout coup comme avoir une belle personnalité.

Merci BEAUCOUP, Angéline!

J'aurais préféré prendre un exemple de princesse.

En tout cas... Sébastien a fait la conversation, et moi aussi. J'ai même fait très attention d'utiliser des mots et de réduire mes expressions faciales à un nombre normal. (En passant, le **nombre normal**, c'est un par expression.)

Isabelle n'a pas beaucoup participé à la conversation, sauf quand elle s'est mise à parler de l'infection que sa grand-mère a eue à un pied. C'est une histoire très intéressante, pleine de drôles d'onguents à la graisse de bacon, et la fin est assez amusante puisque sa grand-mère a failli mourir de peur quand elle a découvert le visage effrayant que j'avais dessiné sur son pied pendant qu'elle dormait.

On s'est bien rendu compte que Sébastien était un peu perturbé par notre histoire, alors Angéline a changé brusquement de sujet. Elle s'est mise à parler d'un film qu'elle avait vu, avec une actrice qu'elle avait beaucoup aimée.

Hé, je me rappelle maintenant à quoi Yolanda ressemble! Mais elle est peut-être un peu plus grosse que ça.

— Ah! Quelle *gracieuse créature délicate et distinguée,* hein? », a dit Sébastien en parlant de l'actrice. Elle est si charmante, si élégante!

C'était tellement beau que j'ai un peu renâclé. En fait, j'ai même failli régurgiter le pain de viande que j'avais dans l'œsophage. (Des beaux mots aussi intenses, ça peut affecter l'œsophage, tu sais!)

Je n'ai pas l'intention de te donner une définition scientifique exacte du mot « régurgiter ». C'est un terme médical. Voici plutôt une radiographie pour te montrer comment ça marche :

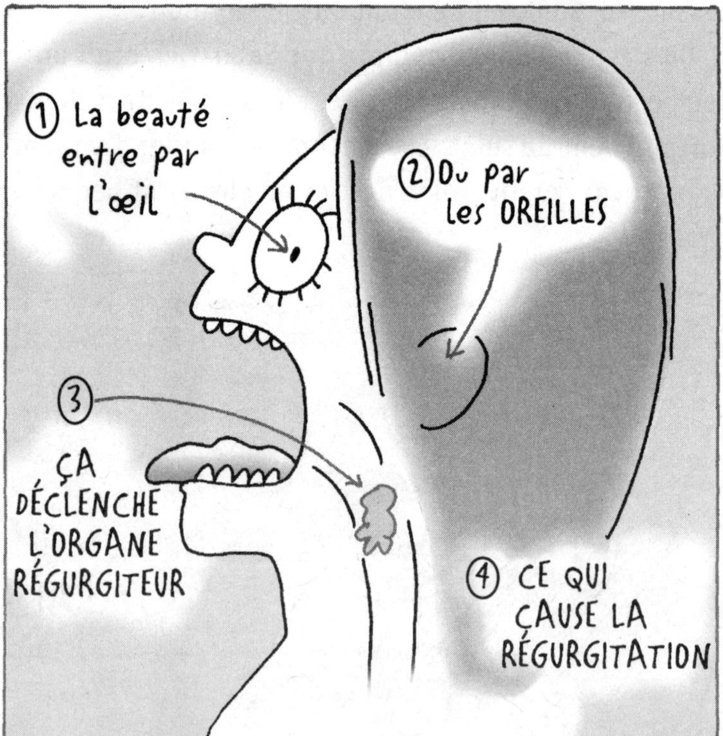

① La beauté entre par l'œil

② Ou par les OREILLES

③ ÇA DÉCLENCHE L'ORGANE RÉGURGITEUR

④ CE QUI CAUSE LA RÉGURGITATION

Combien y a-t-il de gens, dans l'histoire de l'humanité, qui se sont déjà fait appeler de *gracieuses créatures délicates et distinguées*? J'étais transportée, et je me suis rendu compte que si les gens pensaient à moi comme à une *gracieuse créature délicate et distinguée,* j'en mourrais. De bonheur. Et j'ai compris tout à coup que c'est ce que je souhaitais le plus au monde, encore plus que toutes les **autres** choses que je souhaite le plus au monde. (Me faire appeler comme ça, je veux dire. Pas mourir.)

J'ai fixé Sébastien un instant, en espérant qu'il se noierait dans mes yeux.

— Cette actrice-là te ressemble un peu..., a dit Sébastien, alors mon esprit gracieux a déployé ses ailes et s'est envolé.

— ... Angéline, a-t-il terminé.

Bam! Mon esprit gracieux est allé s'écraser sur le mur d'une **usine d'engrais**.

Ouais. Exactement. C'était à **ANGÉLINE** qu'il parlait!

Et pourquoi? Juste parce qu'elle s'était montrée charmante et distinguée en l'invitant à se joindre à nous?

Eh bien, j'aurais pu l'inviter **moi** aussi.

Juste parce qu'elle met toujours sa serviette sur ses genoux avant de commencer à manger?

Eh bien, j'aurais pu mettre ma serviette sur mes genoux **moi** aussi.

Juste parce qu'elle est gracieuse, posée, délicate et gentille?

Eh bien, j'aurais pu mettre ma serviette sur mes genoux **moi** aussi.

POF!

↖ Oiseaux gracieux

Musique mélodieuse

Et j'aurais pu le faire avec **ENCORE** plus de grâce et de distinction qu'elle si j'avais voulu!

Tu sauras, Angéline, que **JE SERAI BIENTÔT CONNUE DANS LE MONDE ENTIER** comme une *gracieuse créature délicate et distinguée,* **ESPÈCE DE FACE DE CRAPAUD!**

Oh, là, là! Je pense que l'inspiration me souffle un poème pour le cours de Mme Avon :

> *Tu es belle comme le jour,*
> *Tellement belle que j'aimerais*
> *Te suspendre à un crochet*
> *Sur le mur du séjour.*

VENDREDI 6

Cher toi,

Aujourd'hui, en classe, Henri et moi, on a travaillé à notre projet d'études sociales. Même si c'est le huitième plus beau gars de la classe, Henri souffre d'une maladie assez répandue : c'est un mâle. Alors, il voulait qu'on fasse une étude où l'on comparerait comment les gens de différentes cultures vont aux toilettes. Ou alors sur la façon dont les gens **se battent dans les autres pays**. Il m'a expliqué que même si nous, par exemple, on a l'habitude de frapper les autres à coups de poing, les gens de certains autres pays préfèrent les coups de karaté. Ou, s'ils veulent se montrer amicaux, ils peuvent se donner des chiquenaudes ou des petites tapes.

Je lui ai répondu que les tapes ne pouvaient jamais être amicales, et je lui ai offert de demander à Isabelle de lui faire la démonstration d'une des tapes **spéciales** qu'elle réserve à ses amis. Après avoir reçu une de ces tapes, on garde le goût de sa paume dans la bouche pendant au moins quatre jours.

Le rêve d'Henri, ce serait de découvrir une toilette étrangère violente.

Henri a finalement accepté mon idée pour notre projet, celle d'une étude comparative sur les **bonnes manières** dans le monde. Tu aurais choisi exactement la même chose, toi aussi, si tu avais été jumelé à une *gracieuse créature délicate et distinguée.*

Je savais que ce serait un bon sujet parce que je suis persuadée que la plupart du monde — ou presque — **ne comprend rien** aux bonnes manières. On pourra consacrer une bonne partie de notre travail à ça et inclure des tableaux super-savants pour illustrer l'ignorance des gens.

Je pense aussi que mes recherches vont mener à une découverte importante sur les bonnes manières : c'est que si tu invites quelqu'un à se joindre à toi pour le lunch et que tu prends bien soin de te mettre une serviette sur les genoux, ça veut dire que tu manges comme un cochon, et **NON** comme une *gracieuse créature délicate et distinguée.*

Si tu te mets une serviette sur les genoux, c'est parce que tu as l'intention de manger comme ça, non?

SLURP!

Isabelle m'a dit qu'elle et **Yolanda la Délicate** allaient faire leur travail sur les coutumes liées au mariage à travers le monde. C'est sûrement Yolanda qui a choisi ce sujet-là. Isabelle ne se mariera jamais, juste parce que ça l'obligerait à partager son gâteau avec quelqu'un tout de suite après.

Au moins, Isabelle est arrivée au cours bien préparée, avec un crayon bien aiguisé, ce qui représente déjà une nette amélioration pour elle. La dernière fois qu'elle s'était préparée comme ça, c'était en deuxième année, quand notre classe est allée rendre visite à un gars qui faisait des animaux avec des ballons — un gars qui gueulait tout le temps et qui se faisait appeler monsieur R. (R... Air... Il devait se trouver drôle...)

Je pense que Yolanda va être agréablement surprise de la quantité de travail qu'Isabelle va **presque** faire pour le projet.

Angéline et Pinsonneau font leur projet sur la façon dont les gens des autres cultures nous voient. Je soupçonne qu'Angéline a choisi ce sujet-là parce que ça lui donnera plus d'occasions de se regarder dans le miroir. Pinsonneau, lui, il aime sûrement ça parce que ça lui donnera plus d'occasions de **faire des grimaces** dans le miroir.

QUI AIME LE PLUS LES MIROIRS?

Les gens très beaux?

Les gens très pénibles?

Quoique... Est-ce qu'il y a vraiment une différence?

SAMEDI 7

Cher full nul,

Tante Carole a vraiment beaucoup de qualités. Mais il n'y en a pas une seule qui me vient à l'esprit pour le moment.

Elle a téléphoné pour me dire qu'elle allait venir me chercher très tôt ce matin. On va aller porter des fleurs à la Brunet parce que c'est son amie, en quelque sorte, et que je suis responsable de la blessure de la cheville éléphantesque de cette Brunet, en quelque sorte.

Quand Tante Carole est arrivée avec Angéline, j'ai compris que toute cette idée d'**apportons-des-fleurs-à-cette-vieille-bête-de-mastodonte**, c'était l'idée d'Angéline.

Tante Carole est très gentille, mais c'est la sœur de ma mère, et ma mère m'a raconté **tout plein** d'histoires sur elle.

J'oublie toujours ce que c'est...

un mammouth ou un mastodonte?

Une fois, à l'époque où mon père et ma mère sortaient ensemble et qu'ils n'étaient pas encore mariés, mon père est venu chercher ma mère à la maison. Pendant qu'il l'attendait, ma tante Carole lui a raconté que ma mère avait de terribles troubles de digestion, mais qu'il ne devait pas lui en parler parce qu'elle trouverait ça vraiment trop embarrassant.

Un peu plus tôt, elle avait dit à ma mère qu'un de ses amis, qui connaissait mon père, lui avait raconté que mon père avait les mêmes terribles troubles de digestion, mais qu'elle ne devait pas en parler parce qu'il trouverait ça vraiment trop embarrassant.

Et avant qu'ils partent pour la soirée, tante Carole a glissé un sandwich aux œufs qui traînait depuis quatre jours dans le fond du sac à main de ma mère. Alors, ils ont passé toute la soirée, chacun de leur côté, à se dire que l'autre puait vraiment.

Tu vois? Tante Carole est gentille, mais pas autant qu'Angéline.

Mais revenons à nos moutons. Avant que tante Carole et Angéline arrivent, j'ai cherché sur Internet le lien entre les bonnes manières et certaines fleurs. Je me suis dit que, tant qu'à faire ce geste de gentillesse **insignifiant et pénible**, autant en profiter pour recueillir des renseignements qui me serviront pour mon travail d'études sociales.

J'ai éliminé les roses et les marguerites, parce que ce sont des fleurs qui expriment généralement l'amour. D'autres fleurs, comme les lis, servent souvent pour les funérailles, alors je pense que la Brunet aimerait en recevoir uniquement si elle était morte.

Pour trouver de l'inspiration, j'ai essayé de penser à la fleur qu'elle me rappelait le plus, et c'est celle qui sert à faire des petits gâteaux et qui est vendue en sacs de cinq kilos.

Heureusement, tante Carole avait acheté un petit bouquet de fleurs assorties qui ne voulait rien dire. J'étais soulagée!

J'ai convaincu Isabelle de venir avec nous parce que ça nous donnait l'occasion d'entrer chez la Brunet et de voir si elle avait vraiment une balançoire faite avec un pneu et si elle mangeait seulement des bananes, comme on en avait lancé la rumeur à un moment donné.

Eh ben, je peux te dire, mon nul, que rien n'aurait pu **nous préparer** à ce qu'on allait voir!

Tante Carole n'a pas raffolé de ma carte de prompt rétablissement.

La maison de la Brunet est immense, et très belle. **Magnifique**, même! Elle est merveilleusement bien décorée. Je sais que c'est difficile à croire, mais Isabelle a tout de suite trouvé une explication.

Pendant que je lui remettais mon bouquet qui ne voulait rien dire et ma carte de prompt rétablissement, elle a demandé à la Brunet :

— Vous surveillez la maison de quelqu'un qui est en vacances?

La Brunet a eu un petit rire, ce qui a fait tomber quelques pétales d'une des fleurs. Et elle a dit :

— Mon mari et moi, on a acheté cette maison il y a longtemps. On a élevé notre fils ici. Mais M. Brunet nous a quittés, malheureusement.

Alors, Isabelle a répliqué, pour être gentille :

— Il vous a quittée, hein? Pour une femme plus jeune?

Elle voulait éviter à la Brunet de devoir l'admettre elle-même, ce qui aurait été plutôt humiliant. C'était très charitable de sa part, non?

Mais Angéline a murmuré, les sourcils froncés :

— Il est mort, voyons!

Tante Carole a donné un petit coup de coude à Isabelle pour lui apprendre la politesse. Parce que, c'est bien connu, il n'y a rien comme un coup de coude pour apprendre la politesse à quelqu'un.

Mais Isabelle a quand même continué.

— Alors, ça paie plutôt bien d'être **surveillante de cafétéria,** hein?

Les joues rebondies de la Brunet se sont éloignées juste assez pour laisser passer un sourire entre les deux.

— Pas du tout, qu'elle a dit. Mais M. Brunet s'est assez bien débrouillé. Il avait déjà réussi quand on s'est rencontrés.

Isabelle l'a regardée en hochant la tête.

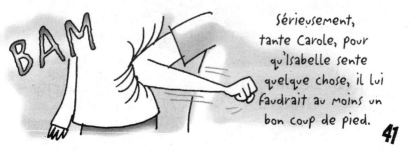

BAM

Sérieusement, tante Carole, pour qu'Isabelle sente quelque chose, il lui faudrait au moins un bon coup de pied.

Sur le chemin de retour, j'ai demandé à tante Carole pourquoi la Brunet se faisait appeler **Mlle** Brunet, plutôt que **Mme** Brunet.

Angéline a dit que c'était probablement pour que les hommes sachent qu'elle est disponible, ce qui nous a fait mourir de rire!

Tante Carole a dit que la Brunet pouvait employer le titre qu'elle voulait — Mme, Mlle, ça n'a pas d'importance.

Personnellement, j'aimerais bien me faire appeler Mllme un jour. Comme ça, j'aurais ma vie privée, et la personne qui s'adresserait à moi aurait toujours l'air de se **lécher les babines!**

comment s'adresser aux femmes...

CÉLIBATAIRES — Mlle

MARIÉES — Mme

ON NE SAIT PAS — Mllme

MARIÉES 2 FOIS — Mmeme

MARIÉES 4 FOIS — Mmememe

MARIÉES À UN SERPENT — Mmzzzzzzz

DIMANCHE 8

Cher toi,

Isabelle est venue faire ses devoirs à la maison aujourd'hui. Ma mère nous a préparé une collation, qu'on a mangée quand même, et on s'est plongées dans nos devoirs pendant une bonne quinzaine de minutes avant de faire une petite pause bien méritée – de sept heures – pour faire plein d'autres trucs.

Pendant la pause, Isabelle m'a demandé si je pouvais faire quelque chose avec ses cheveux.

Les demandes dans ce genre-là, c'est souvent des **pièges**. Tu fais quelque chose avec ses cheveux, et alors, elle t'offre de faire quelque chose avec les tiens, et ça commence avec de la peinture en aérosol et ça finit à l'hôpital.

Avec Isabelle, c'est toujours mieux de savoir **exactement** dans quoi on s'embarque.

Oh, maman!

Même la bouffe déteste ce que tu lui fais...

Donc, on a fait lire à ma mère les conditions de notre entente, Isabelle l'a dûment signée, et je me suis mise au travail pour lui arranger les cheveux.

Elle est restée étrangement tranquille pendant tout le processus. Quand j'ai eu fini, j'avais l'impression d'avoir fait quelque chose de vraiment bien. Elle avait l'air d'une fille... et de tous les côtés, à part ça!

Quand elle a vu ça, elle ne m'a même pas ordonné de lui remettre les cheveux comme avant.

Au contraire, elle m'a demandé :

— Ça va rester combien de temps comme ça? Je veux dire... En **style fille**?

Je lui ai répondu que ça durerait jusqu'à ce qu'elle joue dans ses cheveux ou qu'elle se couche dessus, bien sûr.

Isabelle a regardé son téléphone et elle a dit qu'elle avait une bataille prévue en fin de journée avec un de ses méchants grands frères, alors j'allais devoir lui replacer les cheveux demain matin en arrivant à l'école.

REFLETS DE FEMME

TEXTURE FÉMININEMENT FÉMININE

FRISETTE DE FILLE

VAGUE PARFAITEMENT MADAME

Elle aurait très bien pu apprendre à se coiffer toute seule, mais quand je lui ai dit ça, elle m'a envoyée promener parce que ça lui donne un peu mal au cœur quand elle entend le mot « apprendre ».

Je comprends ça. On a tous nos petits bobos. Moi, par exemple, j'ai une sérieuse **intolérance aux blondes**. Parfois.

PETITS BOBOS COURANTS

dESSUdESSOUSITE

SENSIBILITÉ EXAGÉRÉE AU SENS DANS LEQUEL LE ROULEAU DE PAPIER DE TOILETTE EST ACCROCHÉ.

ENTREdENXIE

SYNDROME QUI CONSISTE À AVOIR LA NOURRITURE COLLÉE SUR LES DENTS SEULEMENT QUAND TU DISCUTES DE CHOSES IMPORTANTES.

ANTIPENdOUILLOSE

MALADIE QUI T'EMPÊCHE DE DORMIR, S'IL Y A QUOI QUE CE SOIT QUI PEND DE TON LIT.

LUNDI 9

Cher nul,

Avant le début des cours, Isabelle m'a obligée à la recoiffer dans les toilettes des filles. Elle a vraiment des beaux cheveux. Ils sont noirs, épais et brillants, comme la crinière d'un lion majestueux qui aurait des poils noirs.

On avait un test plus tard dans la journée, alors elle avait écrit les réponses sur la tranche de saucisson du sandwich qu'elle avait apporté pour le lunch. Si jamais le prof l'avait vue, elle n'aurait eu qu'à manger son sandwich pour faire disparaître la preuve. Mais elle avait la tête ailleurs, alors elle a mangé son sandwich **sans y penser** pendant que je la coiffais. Il n'y a rien comme la beauté pour ouvrir l'appétit!

Pendant qu'elle essuyait l'encre sur ses lèvres, je lui ai expliqué pourquoi ça n'était pas bien de tricher. On a un test de maths la semaine prochaine, alors je l'ai encouragée à apporter un lunch sur lequel elle ne pourrait pas écrire. Si elle apporte un sandwich au beurre d'arachides et à la confiture, je saurai que mon message est passé.

Oh, Isabelle! Ne commence pas à te servir de ton intelligence pour faire des choses que tu ne devrais pas faire!

Pendant le cours d'études sociales, on a eu une discussion sur ce qu'on avait appris jusqu'ici au sujet des autres cultures.

Henri et moi, on a expliqué qu'il y avait très peu de règles universelles. Tu as beau mémoriser quelle fourchette tu dois prendre pour manger ta salade, il y a des chances que ton hôte te donne des baguettes. Alors, tu t'exerces à manger comme il faut avec des baguettes, et ton hôte te sert du poulet frit.

Comment veux-tu qu'on s'y retrouve?

La seule façon de ne pas avoir l'air ridicule, c'est de manger avec mes nouvelles baguettes multiusages et mes couverts à doigts.

QUELLE GRÂCE!

QUELLE CLASSE!

QUEL DOIGTÉ!

Isabelle et Yolanda ont l'air d'être arrivées à peu près aux mêmes conclusions au sujet des mariages. Les mariées ne sont pas toujours en blanc, les mariages ne se déroulent pas tous à l'église, et les jeunes mariés ne reçoivent pas toujours six grille-pain en cadeau. Parfois, ils en reçoivent **plus** que ça. (Note à la future Jasmine : Pense à épouser un gars qui travaille dans un magasin d'appareils ménagers. Comme ça, vous pourrez échanger facilement tous vos cadeaux de noces contre des trucs vraiment bien.)

Angéline et Pinsonneau, eux, ont découvert qu'il y a des gens, dans certains pays, qui pensent — les effrontés! — que nos coutumes et nos manières laissent à désirer. C'est très impoli de dire ça des gens d'un autre pays, à mon avis. Surtout quand on sait que c'est manifestement EUX qui ont des drôles de manières.

Hé, les autres! Il y a une façon très simple de savoir si vous faites quelque chose de travers...

Moi, je ne le fais pas.

↖ Coutumes étrangères en action

On dirait bien que les gens inventent les coutumes et les bonnes manières comme bon leur semble. Alors, je suis tout aussi qualifiée que n'importe qui d'autre (et même plus qualifiée que beaucoup d'autres, soyons honnêtes!) pour inventer moi-même quelques règles sur les bonnes manières.

LES BONNES MANIÈRES SELON JASMINE

Si tu n'as rien de gentil à dire, ne dis rien, c'est tout.

Mais si tu ne peux pas te retenir, tu n'as qu'à me chuchoter tes méchancetés à l'oreille.

À l'heure du lunch, Isabelle a littéralement **intercepté** Sébastien quand il est passé à côté de nous.

Elle lui a dit :

— Hé! Angéline vous a dit quelque chose l'autre jour, et vous êtes venu vous asseoir avec nous. Alors, si je vous disais la même chose aujourd'hui, qu'est-ce que vous feriez?

Ce qu'elle est habile, dis donc!

Elle a quand même ajouté « **S'il vous plaît!** », et pour la première fois de ma vie, j'ai eu l'impression qu'elle était sincère.

— Bon, d'accord, a répondu Sébastien. Merci.

Et il s'est assis! Évidemment, il a fallu qu'Angéline ajoute son grain de sel. Elle a dit :

— Eh bien, c'est gentil, ça!

Comme si on ne l'avait pas remarqué...

Est-ce que Yolanda était là? Peut-être...

Alors, Isabelle a ajouté :

— Donc, maintenant, on se parle, c'est ça? On discute de films dont on se fiche complètement ou d'autres sujets dans le même genre, hein? On se dit des **platitudes polies**, quoi!

Sébastien avait l'air un peu mal à l'aise et il nous a regardés dans les yeux à tour de rôle — Isabelle, Angéline, Pinsonneau, Henri et moi. Et peut-être Yolanda, mais je ne me souviens plus si elle était là.

— Vous avez de la classe, Sébastien, a poursuivi Isabelle. Je parie que vous vous promenez souvent en limousine, hein?

— Euh, pas vraiment, a dit Sébastien, avant de se dépêcher de changer de sujet. Hé, je sais! Racontez-moi un peu ce que vous faites dans vos cours en ce moment.

— On parle de coutumes et de bonnes manières, genre, a dit Pinsonneau. Merci.

Les efforts de politesse de Pinsonneau, après la drôle d'invitation d'Isabelle et ses questions tordues, ont mis Sébastien encore plus mal à l'aise. Je te jure, on aurait dit un bonhomme de neige sur un lit de bronzage.

Parfois, quand il y a de la tension dans l'air comme ça, Isabelle se met à pincer les gens. En voyant qu'elle se mettait les doigts en **pinces de homard**, j'ai su tout de suite que je devais faire quelque chose. Autrement, Sébastien allait se lever et partir, et il ne reviendrait plus jamais s'asseoir avec nous, et je ne serais jamais considérée comme une *gracieuse créature délicate et distinguée* par la seule personne qui me paraît qualifiée pour porter un tel jugement.

Les choses qui donnent à Isabelle l'envie de pincer les pauvres innocents sur son chemin...

LE STRESS

LES BRUITS OU LES MOUVEMENTS BRUSQUES

LE CALME OU LE SILENCE

Alors, j'ai lancé — même si ce n'était pas tout à fait la vérité :

— Oui, on étudie les coutumes et les bonnes manières, et on aimerait bien avoir votre avis. Vous êtes plus jeune que les profs, mais plus vieux que nous, alors on a pensé que vous pourriez nous aider pour notre travail.

Sébastien a hoché la tête, il a souri et a dit :

— Ah! Je **comprends**. Vous m'étudiez, hein? Comme un spécimen, pour voir si je ferai une erreur. Je comprends. Je serai impeccable alors.

Je n'aime pas mentir aux gens, mais eux, ils ont l'air d'aimer beaucoup ça quand je leur mens.

Astucieux, non? Les autres ont failli tomber de leur chaise. Et je les comprends! Je venais de capturer notre surveillant de caf pour nous tout seuls. Il n'est pas assez vieux pour nous raconter pleins de choses inutiles, genre comment porter un monocle ou quelle sorte de cape choisir pour aller à l'opéra en été, et il n'est pas assez jeune pour être prêt, comme Pinsonneau ou Henri, à manger son dessert avec un peigne s'il n'y a pas de cuiller. Je n'aurais vraiment pas pu demander mieux, hein? Mais il a répondu :

—Tu me le diras si je me trompe, hein, Angéline? J'ai bien l'impression que c'est toi, l'experte en bonnes manières, non?

Ouais. J'AURAIS PEUT-ÊTRE PU DEMANDER UN TOUT PETIT PEU MIEUX.

Je ne dois jamais oublier de demander **TOUT** ce que je veux vraiment...

Avoir des POP TARTS de 15 cm d'épaisseur

Connaître un bébé qui s'appelle BANANES

Voir Angéline se faire enlever PAR UN HIBOU

Vivre dans une maison comme celle de ma BARBIE

JEUDI 10

Cher journal,

Quand on est arrivées à l'école, ce matin, tante Carole nous a interceptées, Isabelle et moi, et elle nous a fait entrer dans le bureau. Mon oncle Dan, le directeur adjoint, était là.

— On aimerait savoir si vous seriez prêtes à aider à préparer la danse de l'école, ce mois-ci, a dit ma tante. C'est beaucoup de travail, et je comprendrais si vous...

Mais Isabelle s'est précipitée pour répondre qu'on était prêtes à le faire.

J'ai hoché la tête, en partie parce que ça avait l'air amusant, et en partie parce qu'Isabelle me tenait la tête et la hochait pour moi. En secouant la tête pour échapper à la poigne d'Isabelle, j'ai dit :

— Ça a l'air amusant.

Au moment qu'on allait sortir du bureau, Angéline est entrée.

— Oh, c'est joli! a-t-elle dit à tante Carole en **répandant de la gentillesse** partout sur ses vêtements.

J'ai serré les dents. Je savais exactement ce qui allait suivre...

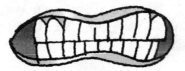

— Oh, merci! a gazouillé tante Carole. Dis donc, Angéline...

Je voyais tout ça comme au ralenti. Angéline avait lancé une **grenade de gentillesse** et elle avait atteint tante Carole en plein cœur. Je me suis mise à grimacer au ralenti et à me sauver au ralenti pour échapper à l'explosion, mais ça n'a rien donné.

Maintenant que j'y repense, quand on fait exprès pour bouger au ralenti comme ça, on doit avoir l'air un peu **bizarre**.

— Angéline, aimerais-tu aider Jasmine et Isabelle à préparer la danse? a demandé ma tante gentiment, en essayant de ne pas voir mes simagrées au ralenti.

Tante Carole était complètement intoxiquée par toute la gentillesse qu'Angéline venait de lui lancer.

— D'accord, a répondu Angéline tout aussi gentiment.

Et c'est gentiment tout.

—Tu es un vrai trésor, a dit tante Carole à Angéline.

J'ai regardé Isabelle, en espérant qu'elle aurait l'air d'être en train d'échafauder — comme ça lui arrive de temps en temps — un plan de sabotage quelconque. Mais elle s'est contentée de hausser les épaules. Elle a peut-être même eu un petit sourire. Je n'en suis pas sûre, alors on va dire qu'elle a froncé les sourcils et qu'elle prévoit déjà faire quelque chose d'affreux pour empêcher Angéline de nous aider à préparer la danse.

Oh, oh! Je pense que j'ai un autre poème...

Angéline, tu vaux ton pesant d'or.
Tous les gars vont vouloir t'épouser.
Mais comme tous les vrais trésors,
Vaudrait peut-être mieux t'enterrer.

MERCREDI 11

Allô, nul!

Écoute bien ça... C'est un vieux poème ridicule que Mme Avon nous a lu aujourd'hui :

Mignonne, allons voir si la rose
Qui ce matin avoit desclose
Sa robe de pourpre au Soleil
A point perdu ceste vesprée
Les plis de sa robe pourprée,
Et son teint au vostre pareil.

Le gars qui a écrit ça s'appelait Pierre Ronsard. Et ce n'est même pas tout! Ça continue pendant des lignes et des lignes — dix-huit, au total! Et tout ce que ça dit, en réalité, c'est :

> T'es belle. Mais tu vas vieillir, et tu vas être moins belle.

Sérieux... C'est n'importe quoi! À mon avis, la poésie, c'est comme les bonnes manières. Ça sert juste à compliquer les choses simples.

Je suis de plus en plus convaincue que les gens aiment les choses simples, et que mes autocollants simplifiés pour pare-chocs sont la voie de l'avenir.

DES LIONS ONT UN BÉBÉ. UN SINGE LE BALANCE AU-DESSUS D'UNE FALAISE. OH, ET PUIS, PARFOIS DES LIONS MEURENT.

AÏE! JE ME SUIS FAIT MORDRE PAR UNE ARAIGNÉE. NE M'OBLIGE PAS À ME SERVIR DE MES ÉTRANGES POUVOIRS D'ARAIGNÉE CONTRE TOI, ESPÈCE DE BIZARROÏDE!

ATTENDEZ, VOLDEMORT! C'EST BIEN VOUS? ENCORE? TOUJOURS HABILLÉ PAREIL? OK, JE VAIS ME BATTRE CONTRE VOUS ENCORE UNE FOIS.

Tu vois? Tu viens de voir trois films en moins d'une minute. C'est trop **génial**!

Cher nul,

Bonnes manières et pain de viande.

À midi, Sébastien est venu s'asseoir à notre table sans même qu'on le lui demande, et on lui a dit ce qu'on avait appris dans nos recherches jusqu'ici.

J'ai raconté ce que j'avais découvert au sujet du Japon. Les Japonais trouvent que c'est impoli de piquer les baguettes verticalement dans la nourriture.

Sébastien a dit que ça ne l'étonnait pas tellement puisque nous, on trouve ça impoli de piquer notre couteau et notre fourchette verticalement dans notre nourriture.

J'ai répondu avec grâce, comme une *gracieuse créature délicate et distinguée* :

— En effet, ce serait de la plus haute impolitesse.

C'était tellement gracieux qu'on aurait dit que j'avais une colombe à la place de la langue.

Plus gracieux que ça, tu meurs!

Je te le jure!

Isabelle a demandé à Sébastien ce qu'il pouvait nous dire au sujet des mariages, et en particulier sur la façon de se faire demander en mariage, et pas par un tout nu.

Il a dit qu'il ne comprenait pas vraiment ce que ça avait à voir avec nos travaux sur les coutumes et les bonnes manières, mais que le mieux, à son avis, c'était de toujours essayer de faire de son mieux.

Isabelle a répliqué que c'était une réponse vraiment excellente. **Vraiment vraiment** excellente. La plus **merveilleusement** vraiment excellente qu'elle avait entendue de sa vie. Ooohh! **Merveilleumerveilleusement** excellente!

Tu aurais dû voir mon visage quand je l'ai entendue dire ça.

Sauf que j'étais nettement plus jolie que ça, on s'entend!

Henri, lui, a dit que selon un article qu'il avait lu ce n'était plus mal vu de roter, et même que c'était cool de roter n'importe où, n'importe quand maintenant. Il a demandé à Sébastien s'il avait lu le même article.

Sébastien a poliment répondu que non, alors Pinsonneau s'est senti obligé d'ajouter quelque chose.

— C'est probablement OK de le faire de temps en temps, Henri, mais personne ne regrettera jamais de **ne pas** avoir roté. Donc, quand on y pense, la meilleure chose à faire, c'est...

Il s'est interrompu brusquement. Il avait les yeux fixés sur Angéline.

Alors, maintenant, Pinsonneau est devenu prof de « rotage »...

Angéline avait piqué son couteau et sa fourchette verticalement dans son pain de viande.

On est tous restés sans rien dire, parce qu'on ne savait tout simplement pas quoi dire!

Jusqu'à ce que Sébastien retrouve ses esprits.

— Bravo, Angéline! C'est gentil à toi d'illustrer la chose. Vous voyez pourquoi ça ne se fait pas? C'est dérangeant et offensant, et ça donne l'impression qu'Angéline se bat avec sa nourriture. Bien pensé, Angéline!

OOOOOOOOOOH oui! Bien pensé, Angéline C'est TEEEEELLLEMENT splendide que tu puisses faire quelque chose d'impoli et que ça passe pour quelque chose de gentil. (Je suis en train de t'applaudir gentiment pendant que j'écris.)

C'est si gentil! Si tellement gentil! Si tellement superbement gentil. Si niaiseusement gentil. Si niaiseusement nunuchement gentil.

Si si si si si si si gentil...

VENDREDI 13

Cher full nul,

Isabelle m'oblige à la coiffer dans les toilettes des filles tous les matins avant le début des cours. Ce matin, pendant que je m'affairais, on a lancé quelques idées de **thèmes pour la danse.**

LA FANTAISIE KOALAS

Les filles portent de jolies coiffures en oreilles de koala.

Les gars portent d'élégants smokings style kangourou.

Les invités échangent des renseignements fascinants sur les koalas.

Les invités boivent du cola, parce que ça ressemble à « koala ».

Tout le monde reçoit un koala vivant en souvenir.

La soirée dANSE-FU

Une soirée sur le thème des arts martiaux, où tout le monde se bat au rythme de la musique. (Je sais que ça n'arrivera pas, mais Isabelle a insisté pour qu'on mette ça sur la liste.)

SCCRRCH

La BRUNotopie

Une soirée science-fiction sur une lointaine planète parfaite où tout le monde a les cheveux BRUNS. (Tous les participants doivent se teindre les cheveux.)

La fabulastique soirée pRINCesses et licoRNes

SCCRRCH

Une charmante soirée de joliesse où tout le monde se bat au rythme de la musique. (Je sais, je sais, mais elle a insisté pour ça aussi.)

Et puis, Angéline est entrée et elle est venue mettre son grand nez dans nos idées, et elle n'en a pas aimé une seule, ce qui était déjà assez poche, mais en plus, son nez n'est même pas grand, et c'est encore plus **poche!**

Il y a toute une série de règles à l'école au sujet des gros mots, mais les gens qui ont fait ces règles-là n'ont jamais eu affaire à des gens qui venaient mettre leur grand — ou pas grand — nez dans leurs affaires, c'est clair!

On a demandé à Angéline si elle avait des meilleures idées. Et tout ce qu'elle a trouvé, c'est ça :

Une danse

Les gens arrivent et dansent, et puis ils s'en vont.

Une danse différente

Les gens arrivent et puis ils s'en vont. Entre-temps, ils dansent.

Une danse totalement différente

Les gens s'en vont. Mais avant, ils dansent. Et avant ça, ils arrivent. Bon, on a compris! Elle ne se force même pas!

Toujours tenir la porte ouverte pour les autres.

À moins que ça soit un de ces petits gros pleins de soupe qui ne disent jamais merci.

Dans ce cas-là, tu fais ce que tu veux.

SAMEDI 14

Cher nul,

Ma mère m'a permis de téléphoner à Émmilie aujourd'hui, pour voir si elle avait des idées pour la danse. Tu te souviens de notre amie Émmilie, hein, nul? Elle est très mignonne, mais pas exactement... Comment le dire poliment? **Pas très brillante pour une mammifère.**

Mais elle habite loin, maintenant, alors je me suis dit que les danses à son école étaient peut-être exotiques et originales et qu'elle pourrait peut-être me donner des idées.

C'est toujours bien quand tu téléphones à Émmilie et que c'est au téléphone qu'elle répond.

L'appel s'est passé à peu près comme ceci :

Moi : Hé, c'est Jasmine. Est-ce qu'Émmilie est là?

Émmilie : Jasmine n'est pas ici.

Moi : Non, Émmilie, c'est moi, Jasmine. C'est à toi que je veux parler. Comment ça va?

Émmilie : OH! Je vois. C'est moi, Émmilie.

Moi : Ouais, bon, oublie ça. Écoute, Émmilie, est-ce qu'il y a eu des danses à ton école cette année?

Émmilie : Ouais.

Moi : Est-ce qu'il y avait un thème?

Émmilie : La danse. Le thème, c'était la danse.

Moi : Est-ce qu'il y avait des décorations particulières, ou un goûter spécial, ou quelque chose qui rattachait tout ça ensemble?

Émmilie : Ils n'ont pas le droit de nous attacher ensemble, Jasmine. Ça ne serait pas bien. Sers-toi de ta tête, fille! (Et après, elle a passé près de trente secondes à rire comme la petite oie qu'elle est.)

Moi : Ça m'a fait plaisir de te parler, Émm. Salut, à plus!

Émmilie : À plus, Angéline.

69

Émmilie est douce et gentille.
J'étais triste qu'elle parte.
C'est vraiment une bonne fille,
Mais elle est un peu tarte.

DIMANCHE 15

Cher journal,

Je n'ai pas pu me décider à travailler à mon projet d'études sociales aujourd'hui, même si je savais que je devais le faire.

Pourquoi est-ce que je suis comme ça, le sais-tu, toi? Il y a des jours où je regarde ma chambre en désordre ou ma pile de devoirs ou l'océan de crottes de chien que je suis censée ramasser dans le jardin, et je sais qu'il FAUT que je fasse quelque chose, sinon je vais me retrouver dans le pétrin. Je sais **exactement** ce que j'ai à faire... mais je ne le fais pas.

Et puis, je sais que je devrais avoir des remords, mais je ne veux pas en avoir non plus, alors je n'en ai pas. Il y a plein de forces à l'œuvre qui veulent me forcer à faire ce que j'ai à faire, mais je ne fais quand même rien.

Les gens ne comprennent pas la volonté qu'il faut avoir pour **ne pas faire** ce qu'il faut faire.

Je vais essayer de résumer ça dans un poème :

Il ne faut pas remettre à demain
Ce qu'on peut faire aujourd'hui
Parce que ça

LUNDI 16

Cher toi,

J'ai dû faire les cheveux d'Isabelle **ENCORE** une fois ce matin, et elle a eu le culot de calculer combien de temps ça me prenait.

— Jasmine, tu sais que mon père gagne beaucoup d'argent, hein?

Tu parles d'une question! Difficile à croire, mais ce n'est même pas la question la plus ridicule qu'elle m'a posée dans ma vie...

Mais c'est proche.

Tu vois, je **SAIS** que la famille d'Isabelle n'est pas riche. Son père ne gagne pas plus d'argent que le mien. Et Isabelle **SAIT** que je le sais, mais le simple fait qu'une chose soit vraie ne veut pas toujours dire grand-chose pour Isabelle. Elle a ajouté :

— Ouais. J'avais oublié de te le dire. Il fait tout plein d'argent maintenant, et si tout le monde l'apprend, ça ne me dérange pas vraiment. Il fait vraiment tout plein d'argent. Qui est l'élève **le plus riche** de l'école, ces temps-ci, à ton avis?

Je lui ai dit que j'avais toujours pensé que c'était Angéline, mais je sais maintenant qu'elle est loin d'être riche. Alors, je n'en ai aucune idée.

Alors Isabelle a commencé à se tartiner la bouche avec son cher baume à lèvres chocomenthe.

Elle m'a demandé si elle avait l'air de porter du rouge à lèvres chic et cher. En tout cas, elle en portait beaucoup. Je lui ai répondu en lui en enlevant la moitié :

— Tu as plutôt l'air d'avoir embrassé un beigne glacé.

Il en restait quand même une bonne couche bien épaisse. Elle doit s'attendre à avoir les lèvres super gercées!

On a travaillé en groupes encore aujourd'hui, pendant le cours d'études sociales, pour pouvoir comparer nos progrès. M. Tremblay circulait dans la classe en écoutant ce qu'on disait, avec son air grognon et sa moumoute ridicule.

Faut pas que je regarde... Faut pas que je regarde...

Pinsonneau et Angéline avaient trouvé plein de choses à propos de gens d'autres cultures qui trouvent notre nourriture dégoûtante ou nos vêtements ridicules ou nos comportements étranges.

Autrement dit, quoi qu'on fasse, les autres **ne** le **font pas,** même s'ils devraient.

Voici un petit tableau très utile pour te montrer comment le monde entier pense différemment de nous.

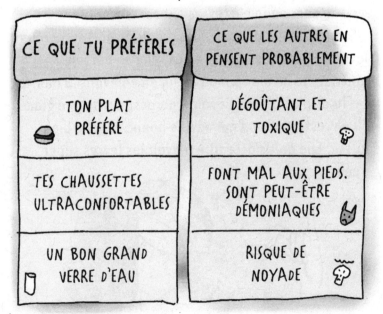

CE QUE TU PRÉFÈRES	CE QUE LES AUTRES EN PENSENT PROBABLEMENT
TON PLAT PRÉFÉRÉ	DÉGOÛTANT ET TOXIQUE
TES CHAUSSETTES ULTRACONFORTABLES	FONT MAL AUX PIEDS. SONT PEUT-ÊTRE DÉMONIAQUES
UN BON GRAND VERRE D'EAU	RISQUE DE NOYADE

Yolanda et Isabelle n'avaient pas beaucoup d'information à nous présenter, et j'ai su tout de suite, en voyant leurs jolies notes bien propres, qu'Isabelle n'avait pas contribué du tout au projet.

M. Tremblay l'a remarqué lui aussi et il a demandé à Isabelle ce qu'elle avait appris personnellement sur le mariage autour du monde. Alors elle a répondu :

— J'y travaille toujours, monsieur Tremblay.

Avant d'ajouter :

— Jolie cravate.

On dit qu'on se rappelle toujours où on était, ou ce qu'on faisait, la première fois qu'on a vécu un tremblement de terre, une tornade ou un autre caprice de la nature. Je ne sais pas, moi... Une attaque de manchot, disons.

Mais moi? **Je n'oublierai jamais le jour où Isabelle a fait un compliment à un prof.**

M. Tremblay a dit :

—Oh!

Et son air grognon s'est transformé en gigantesque sourire.

—Merci. Tu sais, c'est ma femme qui me l'a donnée. J'ai plus de compliments au sujet de cette cravate que...

Il s'est redressé et il est passé au groupe suivant. J'ai regardé Isabelle. **Elle savait** que je la regardais. Je savais qu'elle mourait d'envie de me faire un petit sourire narquois, mais elle ne l'a pas fait. Elle a dû faire appel à tous les muscles de son visage musclé, mais elle a réussi à se contrôler. Et ensuite, elle n'a même pas voulu en parler.

Quand ton amie fait travailler ses muscles faciaux

MARDI 17

Cher nul,

Tout le monde sait maintenant qu'on prépare la danse, alors on a reçu plein de suggestions.

Élisabeth la fontaine — celle qui postillonne tout le temps — a suggéré un thème sous-marin. (Probablement parce qu'elle connaît ça, l'humidité.)

Margot, la mâchonneuse de crayons, a suggéré un thème de ninjas. (Elle pense sûrement à tous ces appétissants nunchakus qu'elle pourrait grignoter.)

Alors, Vicki, qui copie toujours tout le monde, a suggéré un thème de ninjas sous-marins, tout en soutenant qu'elle n'avait copié personne. **NOTE AUX COPIEURS : ON LE SAIT, OK?**

Et puis, ça a été au tour de Pinsonneau de faire une suggestion.

Sérieux, tout le monde, je ne veux pas de vos idées de fou.

Et n'allez surtout pas me prendre pour une folle.

— Pourquoi on ne ferait pas une danse chic? On porterait tous des vêtements chics et on se comporterait comme des gens chics, et tout et tout. On aurait des sous-vêtements bien propres, et un goûter bien gentil qu'on ne pourrait pas souffler par le nez. Plein de choses distinguées comme ça, m'a suggéré Pinsonneau.

Hein? Est-ce bien **le gars** qui fait sortir du spaghetti par ses narines et qui connaît trente-sept mots pour décrire la diarrhée (sauf qu'il y en a à peu près neuf qui sont à peu près drôles)! Le gars qui a déjà mangé, sur un vieux soulier, une bestiole qu'il avait trouvée dans un vieux sandwich! D'accord, ça fait des années, et il avait fait un pari, mais quand même...

Et c'est ce **gars-là** qui veut qu'on fasse une danse chic?

Je me préparais à lui projeter un éclat de rire tonitruant en plein visage, mais Isabelle m'a interrompue.

— C'est une bonne idée, Michel.

Du coup, elle venait de doubler son record précédent pour le nombre de compliments qu'elle avait faits en un mois. **Isabelle voulait une danse chic elle aussi.**

Et puis, elle s'est tournée vers moi.

— Oh, Jasmine! Ne t'en fais pas pour les sept cents dollars que tu me dois. Tu n'as pas besoin de me rembourser.

QUOI?

Pas de fixatif pour Isabelle demain. J'ai bien peur qu'elle en ait inhalé un peu par accident ce matin.

MERCREDI 18

Salut, mon nul!

Alors, à l'heure du lunch, Isabelle est allée demander à Angéline ce qu'il nous fallait exactement pour organiser une danse chic. On n'avait pas besoin de son aide, bien sûr, mais Isabelle est parfois un peu impulsive. Sauf qu'avant qu'Angéline puisse répondre, Henri est intervenu.

— C'est l'idée de qui, ça?

Pinsonneau nous faisait de **minuscules signes de tête discrets et frénétiques** pour nous faire comprendre qu'on ne devait pas dire que c'était son idée à lui.

— C'est l'idée d'Angéline, a répondu Isabelle.

Angéline s'apprêtait à dire que ce n'était pas vrai, mais elle a remarqué elle aussi la panique de Pinsonneau et elle est entrée dans le jeu, bien malgré elle. Tu sais parce qu'elle est trop **gentille.**

— Oui. C'était. Mon. Idée.

Alors Henri s'est calmé parce que, quarante kilos de cheveux brillants de la blondeur la plus pure, c'est l'effet que ça lui fait, je suppose.

Isabelle a demandé à Angéline de nous faire une liste de toutes les **choses chics** dont on aurait besoin pour la danse chic, comme un goûter chic, des pancartes chic et des ballons chic.

— Est-ce qu'il y a un genre d'air chic que les gens chics mettent dans leurs ballons? a demandé Isabelle.

— Ça s'appelle de l'hélium, ma belle! a répondu Angéline pas très gentiment.

— Alors, l'hélium, c'est juste de l'air un peu plus chic, c'est ça?

On aurait dit qu'Angéline venait tout à coup de lui révéler une arnaque super-secrète sur la composition des ballons.

Je suppose que toute cette histoire de danse chic, ça se rattache aux coutumes et aux bonnes manières, ce qui veut dire qu'on pourra tous s'en servir pour nos travaux. **Vaudrait mieux!** Je sacrifie mon thème de fantaisie koalas pour ça.

Ô grâce!
Ô délicatesse!

Il nous faut toujours quelques adultes comme chaperons pour nos danses, alors j'ai demandé à Sébastien s'il voulait bien venir à notre danse chic, puisqu'il est tellement élégant, **charmant** et patati et patata.

Je ne voulais pas laisser Yolanda à l'écart de la préparation de la danse. Comme elle est jumelée à Isabelle pour le travail d'études sociales, c'est en quelque sorte une amie temporaire pour le moment. Alors je lui ai demandé si elle pouvait vérifier si tout était assez **délicat** pour elle.

Elle m'a regardée comme si je venais juste de me sortir une nouille du nez à mon tour, mais je suis sûre qu'elle a compris ce que je voulais dire.

Allons, Yolanda! Ce n'est pas sorcier...

PAS DÉLICAT	DÉLICAT	TROP DÉLICAT
Punch servi dans une vieille boîte de fèves au lard	Punch servi dans de jolis verres à punch	Punch servi dans les mains jointes d'un bébé
Ballons en sacs de papier gonflés	Ballons en latex exquis	Ballons en soie brodée
Musique de singes qui frappent sur une chaudière sale	Musique de disc jockey	Musique de princesse qui tape sur un seau en or

JEUDI 19

Mon cher journal full nul,

Jour du pain de viande, encore aujourd'hui! Mais sans la Brunet pour s'assurer qu'on l'avale jusqu'à la dernière miette, ça n'est pas si mal. C'est vrai, la meilleure façon d'améliorer le pain de viande de l'école, c'est de le laisser dans notre assiette.

Pinsonneau **portait une cravate** à l'école aujourd'hui, et il a **tiré une chaise** pour Angéline quand elle a voulu s'asseoir.

Ouille! Il va peut-être falloir réviser ce que je pense de lui!

Ma première idée, bien sûr, c'est qu'il portait une cravate parce que quelqu'un la lui avait attachée autour du cou et qu'il n'avait pas réussi à l'enlever. (C'est le genre de chose qui arrive tout le temps à mon chien, Sac-à-puces.) Et puis, je me suis dit qu'il allait retirer la chaise juste au moment où Angéline s'apprêterait à s'asseoir dessus.

Mais Angéline s'est assise sans anicroche, et la cravate était juste partiellement ridicule. Comme Pinsonneau peut difficilement avoir l'air plus repoussant qu'il en a l'air en temps normal, j'avoue que c'était en quelque sorte une amélioration.

C'est l'**avantage** que les gens repoussants ont sur le reste d'entre nous. Il ne faut pas grand-chose pour améliorer leur apparence.

OGRE **+** CHAPEAU À LA MODE

ZOMBIE
SANS TÊTE **+** SEAU AVEC
BONHOMME SOURIRE

TÊTE DE ZOMBIE **+**

JOLIE CAGE
À OISEAUX

Henri a bombardé Pinsonneau de questions sur sa cravate, dans le genre, qui lui avait appris à faire un nœud de cravate, et tout ça. Pinsonneau a répondu qu'il voulait simplement s'exercer pour savoir quoi faire à la danse.

Alors Isabelle a dit que c'était une excellente idée, et que sa cravate était super. (Oui, tu as bien lu, mon cher journal : compliments numéros **trois** et **quatre**.)

Je me suis servie de mes yeux pour envoyer à Isabelle un message qui disait : « As-tu perdu la boule? » Elle s'est servie de ses yeux pour m'envoyer cette réponse : « Moi? Mais de quoi tu parles? » Alors je lui ai envoyé un autre message avec mes yeux, pour lui dire : « Tu sais exactement de quoi je parle. » Et ensuite, je pense qu'Isabelle m'a envoyée promener avec ses yeux.

Sébastien s'est arrêté un instant à côté de notre table pour nous dire bonjour. Il a même fait remarquer à Pinsonneau que sa cravate lui donnait un air tout à fait « B.C.B.G. ».

Et puis, il s'est tourné vers Angéline.

Et il lui a demandé :

— D'après toi, c'est quoi, son nœud de cravate? Un Prince Albert? Un Windsor?

Et il est resté là, avec un grand sourire, en attendant son avis d'experte.

Mais Angéline s'est contentée de hausser les épaules.

— C'est un **nœud simple**, a répondu Henri.

On l'a tous regardé, et il s'est mis à tousser.

— C'est ce que Pinsonneau m'a dit. Hein, Michel? C'est quelque chose comme ça, me semble, non?

— Tu connais tous ces nœuds-là, Michel? a dit Isabelle, clairement impressionnée.

— Oui, merci, a répondu Pinsonneau avec un grand sourire.

De toute évidence, il y a plus d'une façon de nouer une cravate...

Le nœud simple

Le Toutânkhamon

L'otage

Avant que Sébastien s'éloigne, j'ai pris bien soin de lui montrer certaines des choses *gracieuses, délicates et distinguées* qui se passent dans le monde de Jasmine.

Par exemple, j'ai disposé mon pain de viande en jolis petits tas en forme d'oursons

avec mon petit doigt en l'air, et le petit doigt de ma fourchette aussi.

Et quand je me suis étouffée avec les mottons de pain de viande, j'ai pris ma serviette pour masquer délicatement les bruits mouillés et étranglés que je produisais gracieusement.

VENDREDI 20

Cher toi,

*Il reste juste une semaine
Avant notre danse chic.
Je devrais porter une robe
Ou une autre tenue fantastique.*

Bon, d'accord. Celui-là est peut-être un peu trop simple. Je suis sûre que ça n'allait pas toujours tout seul pour Ronsard non plus.

SAMEDI 21

Salut, nul!

Henri et moi, on devait se rencontrer aujourd'hui pour travailler à notre projet. J'aurais bien voulu qu'il vienne chez moi, mais c'est un peu comme si je lui demandais d'être mon copain officiel et ça pourrait même déboucher sur des fiançailles. (Voyons, Henri, je suis trop jeune. **Reviens-en!**) Alors, j'ai proposé qu'on se rencontre en groupe.

Pinsonneau a suggéré qu'on aille chez Henri, puisque c'est l'endroit le plus central pour nous tous. Comme on était tous d'accord, on a appelé Henri ce matin pour lui dire qu'il était d'accord lui aussi.

C'est ça qui est ça, Riri!

Experte en relations sociales

89

Je n'étais jamais allée chez Henri, même si je connais très bien la partie de la pièce qu'on peut voir de la rue si on s'étire le cou et qu'on jette un coup d'œil par la fenêtre quand il n'y a personne, juste avant de tomber dans les buissons.

La maison était très jolie, et plutôt en ordre. C'est toujours un peu surprenant quand on entre chez un gars et que tout est en ordre. On s'attend plutôt à ce que tout soit froissé, avec des **poches cargo.**

La mère d'Henri nous a dit de nous installer au sous-sol, et elle nous a apporté du jus d'orange et des biscuits. Elle avait pris des vrais verres et des vraies assiettes — pas comme ma mère, qui nous a déjà servi des sandwiches sur des enveloppes parce que toute la vaisselle était sale.

Les couverts aussi étaient sales, alors on avait dû couper notre viande avec des ciseaux.

La stratégie du travail en groupe a assez bien fonctionné aujourd'hui. J'avais découvert certaines choses sur le mariage qui pourraient être utiles à Isabelle et Yolanda, et Angéline et Pinsonneau nous ont fait profiter de quelques petites choses qu'ils avaient trouvées sur les bonnes manières.

Et chaque fois qu'un de nous avait envie de rigoler, les autres étaient là pour le ramener dans le droit chemin. Cette histoire de travail en groupe n'est peut-être pas aussi idiote qu'on le pensait.

On est chacun comme une brique qui tient une maison!

Une maison avec 5 briques, genre...

On a même eu un peu de temps, à la fin de la journée, pour parler de la danse. Pinsonneau avait une idée pour un jeu : il fallait disposer tous les éléments d'un couvert à la bonne place. Genre « la fourchette à salade va ici, l'assiette à pain va là », tu comprends? Il avait imprimé une image très compliquée qu'il avait trouvée en ligne.

Je trouvais que ça serait trop difficile, mais Henri a dit que c'était stupide parce que c'était **trop facile**.

—Trop facile? a répliqué Pinsonneau. Ouais, je suis sûr que tu ne pourrais pas...

Mais avant qu'il ait pu finir sa phrase, Henri avait dessiné tous les éléments d'un couvert complet sur un bout de papier.

plutôt mignon quand il est concentré comme ça

Il a remis son dessin à Angéline et lui a dit :

— C'est bien ça, hein, Angéline?

Angéline a pris le papier et elle a commencé à tout vérifier, et puis une expression de colère s'est dessinée sur son visage. Elle a repoussé brusquement le papier vers Henri, et je t'assure qu'il n'y avait rien de gentil là-dedans!

— Qu'est-ce qui te fait croire que je sais si c'est bien? Hou, elle était vraiment fâchée!

Pinsonneau a comparé avec son image imprimée.

— Tu as raison. C'est bien ça. Comment tu sais ça?

Henri a fait la grimace, comme s'il venait de se faire attraper à lancer des souris en mini-béquilles dans une baignoire pleine de chats.

Il a marmonné :

— J'ai vu ça dans un film. Bon, il faut que vous partiez, maintenant.

DIMANCHE 22

Cher toi,

C'est le temps de faire des **affiches!** Normal, pour une danse, il faut des affiches. Et pour des affiches, il faut... moi!

Aujourd'hui, j'ai commencé à dessiner et à décorer avec une telle fureur artistique que mon père est sorti deux fois de la cuisine pour aller tousser les brillants qui étaient entrés dans ses poumons.

Comme Sac-à-puces et sa fille Pucette ne sont pas très brillants, eux, ils pensent que tout ce qui se trouve sur la table, c'est de la bouffe. Alors, ils mangent tout ce qui en tombe. C'est surtout pour ça que je ne demande pas à Isabelle de m'aider pour ces projets-là. Elle aime bien découper des formes de nourriture et les donner aux chiens.

N'empêche... J'aimerais bien connaître quelqu'un qui pourrait m'aider.

J'ai téléphoné à Angéline quelques fois pour avoir des conseils sur la façon la plus chic de présenter la danse sur mes affiches, mais j'ai eu l'impression qu'elle s'en fichait complètement. Alors, finalement, je me suis arrangée toute seule. C'est mon rôle, après tout, en tant que **GC**. (Ça, au cas où tu serais trop bête et trop inculte pour comprendre, ça veut dire *gracieuse créature*.)

LUNDI 23

Salut, mon nul!

Isabelle m'avait demandé de lui prêter des boucles d'oreilles, alors je les ai apportées à notre séance de coiffure du matin. Elle voulait que je lui apporte celles qui avaient l'air les plus chères.

Comme toutes les *gracieuses créatures*, j'ai **beaucoup** de boucles d'oreilles. Elles se classent en quatre catégories :
- Je ne porterai jamais ça.
- Je ne porterai probablement jamais ça.
- Je les porterai peut-être un jour, mais ce n'est pas sûr. Probablement pas.
- Je porte ces trois paires-là.

Mes colliers, eux, se classent seulement en deux catégories.

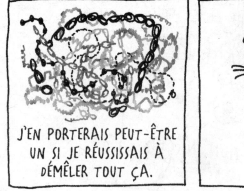

J'EN PORTERAIS PEUT-ÊTRE UN SI JE RÉUSSISSAIS À DÉMÊLER TOUT ÇA.

KESSÉÇA???

J'ai apporté une paire de grosses boucles d'oreilles brillantes qui pourraient peut-être passer pour des vrais diamants si on ne regardait pas de trop près et qu'on n'avait jamais vu de vrai diamant avant.

Isabelle les a mises, mais en lui brossant les cheveux, je me suis rendu compte qu'elle n'avait pas les oreilles percées.

Du moins, elle **n'avait pas les oreilles percées** avant... aujourd'hui!?

— Je les ai juste poussées à travers les lobes. C'est ce que tu fais, non?

J'ai eu peur qu'elle fasse de l'infection, mais pas longtemps. Le système immunitaire d'Isabelle est très résistant, après tout. Les bactéries se lavent les mains après être entrées en contact avec elle.

Hé, qu'est-ce qui ne va pas, Grippe?

J'ai touché à Isabelle et j'ai vomi des microbes toute la nuit.

Une fois sa coiffure terminée, Isabelle m'a aidée à accrocher des affiches... jusqu'à ce qu'elle voie Pinsonneau qui arrivait au bout du corridor avec sa cravate, encore. Alors, elle a fait semblant qu'elle n'était pas assez grande.

Elle lui a demandé ~~gentiment~~ **maladroitement** :

— Michel, tu peux nous aider avec ça?

Et lui, il a répondu ~~gentiment~~ **bizarrement** :

— Merci.

Et il est venu l'aider. Quand il a été parti, j'ai inspecté les oreilles d'Isabelle pour être sûre que les tiges des boucles d'oreilles n'avaient pas percé son crâne et endommagé son cerveau.

— Isabelle, pourquoi es-tu gentille comme ça, tout d'un coup?

— Ferme-la. Parce que je le suis, m'a répondu Isabelle avec un *petit* sourire et un **gros** coup de coude.

Hooouu! Regarde un peu la p'tite Isabelle. Y a-t-il quelque chose de plus adorable que de faire semblant d'avoir besoin d'aide?

S'TE PLAÎT, VIENS AIDER LA P'TITE MOI!

Hmmm... N'IMPORTE QUOI!

Il faut toujours se couvrir la bouche quand on éternue. Ou qu'on tousse. Ou qu'on rote.

Mais, tu sais, ce serait bien si certaines personnes la gardaient couverte tout le temps.

MARDI 24

Cher journal,

Isabelle a demandé à Angéline si elle avait des idées d'activités distinguées pour la danse. Il y a de fortes chances que Yolanda ait été là aussi, mais bien franchement, je ne m'en souviens pas.

J'ai donc demandé :

— Qu'est-ce qui serait bien, à ton avis?

— Pourquoi pas un concours de crachats? a suggéré Angéline. Pour voir qui est capable de cracher le plus loin. On pourrait cracher des raisins secs ou des noyaux d'olive. Ou peut-être de la salive, tout simplement.

Elle essayait d'avoir l'air intéressé, mais c'était clair qu'elle n'était pas de bonne humeur, ce qui était vraiment étrange parce que, moi, j'avais pourtant été très gentille.

Oh. Mon. Dieu. Ça y est!

Je SUIS vraiment devenue une *gracieuse créature délicate et distinguée.* Je suis SI gentille que ça **agace même les gens gentils.**

Je suis comme un moustique qui aurait donné la malaria à un autre moustique.

(un joli
moustique)

MERCREDI 25

Cher ami journal,

> *Quand on est une fillette*
> *Très distinguée,*
> *On sait avec quelle fourchette*
> *Les bananes sont mangées.*
> *On sait aussi que la serviette,*
> *Ce n'est pas pour s'essuyer le nez.*

Les princes charmants apprécient toujours quand on choisit la bonne fourchette.

Vous savez, madame Avon, je pense que je suis en train d'attraper votre obsession pour la poésie. C'est vrai que ça permet d'exprimer des choses merveilleuses, bien mieux que quand on les **dit**, tout simplement.

JEUDI 26

Cher toi,

On doit remettre nos travaux demain, alors c'était le dernier jour où on pouvait demander encore des conseils à Sébastien.

J'étais assise *très délicatement* à table, à la caf, et je parlais *très gracieusement*, et je me comportais *très bonne-manièrement*.

J'ai habilement orienté la conversation vers Je-Ne-Sais-Plus-Comment-Elle-S'appelle, la vedette de cinéma qu'il avait trouvée tellement *délicate et distinguée*, et **bla, bla, bla**.

— Ah, oui, **elle**! a dit Sébastien avec un enthousiasme un peu... un peu exagéré, quoi!

Alors, j'ai dit (avec une telle délicatesse que sa délicatesse à elle en a probablement pris un bon coup — et vlan!) :

— Elle n'est probablement pas la **SEULE**... Vous savez... La seule personne au monde qui est comme ça...

— Tu as sûrement raison, a dit Sébastien.

— Les gens comme ça, on les remarque au premier coup d'œil, lui ai-je gentiment souligné.

— Je ne...

Il a laissé sa phrase en suspens.

Je savais que la conversation était sur le point de mal tourner. Isabelle risquait de pincer quelqu'un, à moins que ce soit Angéline qui change le sujet.

Allez, Sébastien? Est-ce que j'allais devoir mettre les points sur les « i »?

Je me suis éclairci la gorge.

— À votre avis, en ce moment même, à cette table même, qui gagnerait le prix de la *gracieuse créature délicate et distinguée?*

— Avant que vous répondiez à ça, Sébastien, j'ai quelque chose à dire, est intervenue Angéline.

Angéline! J'étais sûre qu'elle allait changer le sujet.

Je suppose que Mme Ronsard se rappellera toujours où elle était au moment exact où son Pierre s'est mis à lui radoter qu'elle était mignonne.

Et que les premiers colons se rappelleront toujours où ils étaient au moment exact où un des leurs s'est mis à casser des pierres en faisant du karaté.

Nous, en tout cas, on se rappellera toujours où on était au **moment exact** où Angéline a regardé Sébastien droit dans les yeux et a lâché un gros PET.

BRUIT
HORRIBLE

Henri s'est mis à rire.

Pinsonneau avait les yeux grands comme des soucoupes.

J'ai retenu une exclamation de surprise (tout en prenant bien soin de **retenir** aussi ma respiration).

Isabelle a continué de manger.

Yolanda a peut-être fait quelque chose, mais je ne m'en souviens pas. Sébastien s'est levé, l'air mal à l'aise, en marmonnant :

— Je viens de me rappeler que j'étais censé rencontrer quelqu'un.

Mais j'ai insisté :

— Attendez, attendez! La *gracieuse créature* truc machin, c'est qui?

Sébastien s'est tourné vers Angéline, qui l'a regardé d'un air morne, en mastiquant la bouche ouverte. Puis il a regardé tout le monde autour de la table, en s'arrêtant à chacun d'entre nous, sauf peut-être à Yolanda. Je ne suis même pas certaine qu'elle était là.

Pinsonneau a rajusté sa cravate.

— Michel, a dit Sébastien à la hâte. C'est Michel.

Et il est parti en courant.

Isabelle a souri à Pinsonneau.

— C'est toi que j'aurais choisi, moi aussi. Réserve-moi une danse pour demain soir, tu veux?

Pinsonneau s'est assis bien droit, l'air très fier. Tout à coup, il était plus beau, moins dégoûtant, et — aussi étrange que ça puisse paraître — il était peut-être devenu plus qu'une simple créature. Peut-être même une *gracieuse créature.*

Ouais. C'est bien beau, tout ça, mais si Angéline n'avait pas été aussi **dégoûtante** c'est probablement **MOI** que Sébastien aurait choisie.

Tous les autres se sont levés, et Angéline et moi, on est restées toutes seules à table. Elle s'est redressée en souriant. Et elle m'a demandé :

— C'était assez dégoûtant pour toi?

— Sur une échelle de un à yark, je te donnerais un neuf, ai-je dit.

— Je n'aurais pas dû faire ça, hein? a-t-elle dit en riant.

— Un pet, ça ne se reprend pas.

Et puis, après un silence, j'ai répété ma phrase plus lentement, pour que la sagesse de cette affirmation soit bien gravée dans nos mémoires. C'est le genre de **grain de sagesse** qu'on retrouve même gravé sur les monuments.

ÉCHELLE DE DÉGOÛTANTERIE

1 PAIN LÉGÈREMENT RASSIS

2 PIZZA QUI TRAÎNE DEPUIS 3 HEURES

3 TOUTE PETITE VERRUE

4 ONGLES D'ORTEILS DANS UNE CUILLER

5 BEIGNE AVEC UNE ÉNORME ARAIGNÉE DESSUS.

6 ŒIL LÉCHÉ PAR UN CHIEN

7 VER DE TERRE DANS UNE CHAUSSETTE

8 ŒIL LÉCHÉ PAR UNE GRAND-MÈRE

9 PET À LA CAF

10 BAIGNOIRE PLEINE DE MORVE

YARK

VENDREDI 27

Cher full nul,

J'ai une bonne et une mauvaise nouvelle.

La mauvaise nouvelle, c'est que je me **suis réveillée** ce matin.

C'est aujourd'hui qu'on devait présenter notre travail d'études sociales devant la classe... et que j'ai compris que les travaux en groupe, c'était vraiment risqué.

Angéline et Pinsonneau sont passés les premiers. Ils ont parlé de la perception que les gens des autres cultures ont de nous, et de notre perception de ces gens-là. Ils ont montré comment tout ça pouvait être faussé, et même injuste.

Injuste...

Et puis, tout d'un coup, j'ai compris quelque chose en les écoutant parler. Ils ne parlaient pas des autres pays, ou des gens des autres pays. Ils parlaient **d'eux-mêmes!**

Attention **AU RÉVEIL!**

C'est comme ça que **TOUTES** les mauvaises journées commencent.

Tu vois, Pinsonneau a toujours été l'incarnation même de la **dégoûtanterie**. Et ça n'avait pas l'air de le déranger. Peut-être même qu'il aimait ça. Mais quand il a vu l'effet que Sébastien faisait sur tout le monde, je te parie qu'il a décidé qu'il voulait qu'on le voie différemment. Alors, il s'est mis à porter une cravate. Et à parler poliment. Et il a suggéré le thème de la danse chic. Comme ça, il aurait une excuse pour améliorer son apparence sans qu'on le juge.

Et pour Angéline, c'est peut-être exactement le contraire. C'est pour ça que ça l'agaçait tellement quand on lui demandait des conseils sur les bonnes manières. Peut-être qu'elle en a par-dessus la tête que tout le monde la trouve **trop** gentille. Et **trop** distinguée. Et **trop** tout.

Et c'est pour ça qu'elle a pété.

Les gens sont peut-être plus compliqués qu'on le pense...

Ça leur ressemblerait **TROP** d'essayer de nous mélanger comme ça.

Ensuite, ça a été au tour d'Isabelle et de Yolanda. Je pensais à Angéline et, pour la première fois, j'ai vraiment regardé Yolanda. Elle n'est peut-être pas si délicate que ça, après tout. Elle a des pieds immenses, pas délicats du tout, et des chaussettes bariolées, et quand elle a montré l'affiche qu'elle avait préparée, j'ai constaté qu'elle avait un certain talent pour la **BRILLANTISE DÉBRIDÉE**. Je ne comprends pas comment j'ai pu rater ça. J'étais trop concentrée sur sa délicatesse, je suppose.

Pendant leur présentation, Isabelle a expliqué à quel point le mariage était important pour les femmes, surtout dans les pays où elles n'ont pas vraiment accès à des emplois bien payés, et elle a ajouté que les mariages arrangés avaient parfois du bon. M. Tremblay lui a demandé si l'amour comptait aussi, à son avis, et elle lui a lancé un regard... Un regard... Disons que si ses yeux avaient été des poignards, il serait mort!

— Vous avez déjà essayé d'acheter à manger avec de l'amour? lui a répondu Isabelle.

Du coup, la température de la pièce a baissé de quelques degrés. **Ouf! On venait de retrouver notre bonne vieille Isabelle!**

L'amour, c'est **tout** ce qui compte.

Mais pour Isabelle, ce n'est pas tout!

111

J'ai compris tout à coup pourquoi Isabelle disait ça. J'avais envie de la prendre par les épaules et de la secouer comme un prunier, mais c'était notre tour, à Henri et à moi, de présenter notre travail. De toute manière, secouer Isabelle, c'est un peu suicidaire.

Je me suis rendue à l'avant de la classe et j'ai montré notre fabuleuse affiche de présentation — en regardant Yolanda dans les yeux. Elle a hoché la tête très discrètement, histoire de montrer son respect pour ma brillantisation comme seule une collègue **brillantiste** peut le faire.

J'ai commencé mon exposé, mais Henri m'a tout de suite interrompue.

Les brillantistes, ça reconnaît CERTAINES ÉTINCELLES dans le regard de l'autre.

À moins que ça soit juste
de la poussière de brillants?
(On en voit parfois aussi dans les narines.)

— Les coutumes et les bonnes manières, c'est ridicule, a dit Henri. Ça sert juste à faire croire aux gens qu'ils ne sont pas à leur place ou qu'ils ne sont bons à rien.

Puis il s'est tourné vers moi, l'air buté. Ouille! Ma note venait de dégringoler...

— Ce n'est pas vrai, Henri. En fait, tu as de très bonnes manières, ai-je ajouté.

Et je me suis tournée vers M. Tremblay en lui faisant un grand sourire (en prenant bien soin de ne pas regarder ses faux cheveux), pour essayer d'aider ma note à remonter.

Henri a eu un petit ricanement.

— Mais ça demande beaucoup d'efforts. Trop d'efforts. Pourquoi je ne mangerais pas avec la fourchette que je veux? Ou même avec les mains, si je veux? C'est à moi, cette bouffe-là, non? Je peux bien parler la bouche pleine, les coudes sur la table, si je veux. Qu'est-ce que ça change? Ça me fait paraître meilleur que les autres, et puis, après?

On sentait la colère monter dans la voix d'Henri. C'était assez étonnant.

Et, pendant quelques instants, j'en suis restée baba. Au fond, j'étais un peu d'accord avec lui, je dois dire.

J'avais passé quatre semaines à travailler à notre projet, et maintenant tout **s'écroulait**.

Sauve qui peut! Les notes dégringolent!

Et puis, on a entendu une petite voix propre et délicate.

— Les bonnes manières, c'est pour qu'on puisse s'endurer les uns les autres, a dit Yolanda.

Ça m'a frappée tout d'un coup comme une tonne de briques. Alors j'ai dit :

— Oui, c'est vrai. Les bonnes manières ne nous rendent pas meilleurs que les autres. Elles nous rendent endurables — ou à peu près endurables.

En entendant ça, M. Tremblay n'a pas souri. Non! Il s'est mis à rire tellement fort que sa moumoute s'est déplacée.

Faut pas que je regarde... Faut pas que je regarde...

— Autrement, on se sauterait tous à la gorge comme des chiens qui se battent pour des restes et on ferait des choses dégoûtantes en public, ai-je ajouté.

Henri a regardé Angéline en se retenant de sourire.

Et j'ai poursuivi :

— Peu importe qui on est, et où on vit. Les bonnes manières, c'est uniquement pour qu'on dérange le moins de gens possible autour de nous.

M. Tremblay a demandé aux élèves de lui donner des exemples de comportements qui les dérangeaient, et les réponses ont fusé.

— Tousser sans se couvrir la bouche.

— Oublier de dire merci.

— Crier à tue-tête! a crié M. Tremblay à tue-tête.

Henri a fini par lever les mains en l'air. Il se rendait.

— Vous avez gagné! C'est vrai que ça compte, les bonnes manières.

J'ai pensé tout à coup que M. Tremblay allait peut-être croire que tout ce débat était juste une mise en scène.

Ce qui m'amène à la **bonne nouvelle.** Un peu plus tard, comme on quittait la classe, M. Tremblay m'a interceptée et il m'a dit doucement :

— C'est le meilleur exposé que j'ai entendu depuis le début de l'année, Jasmine. Si vous ne parlez pas des colons ninjas dans la partie écrite de votre travail, cette fois-ci, je pense que vous allez être très contents de votre note.

Faut pas que je regarde... Faut pas que je regarde...

Un peu plus tard, on est allés à la danse.

Ça s'est plutôt bien passé, si tu veux le savoir. Il y a eu beaucoup de monde, et la plupart des jeunes avaient fait un effort pour s'habiller. Mais évidemment, après dix minutes, les filles avaient enlevé leurs chaussures et les gars avaient l'air exactement de la même chose que d'habitude.

Presque personne n'a réussi au jeu où il faut mettre le couvert correctement. Sauf **Henri**, bien sûr.

Une fois qu'il a eu fini, Angéline s'est approchée et elle a déplacé une petite fourchette.

— Il s'est trompé pour la fourchette à huîtres. Il faut la mettre la première à droite.

Je n'ai pas pu m'empêcher de lui demander :

— Alors, tu connais ça, les bonnes manières?

Angéline a levé un sourcil et m'a dit :

— Tu ne vas pas m'obliger à faire **tu-sais-quoi** encore une fois, hein?

J'ai répondu par un air *délicat et distingué* de pur dégoût.

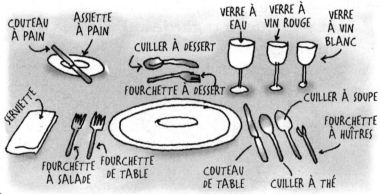

Ensuite, on a regardé Isabelle essayer de danser avec Pinsonneau. Pinsonneau dansait très mal avec gentillesse, pour que personne ne remarque qu'Isabelle dansait mal pour vrai. Ou alors, il danse vraiment vraiment mal.

Angéline s'est sentie obligée d'expliquer sa petite performance audio, hier à table. Elle a dit qu'elle n'aimait pas que les autres la voient **seulement** comme une fille gentille, polie et bien élevée.

— Je ne suis pas **juste** ça. Je ne suis pas juste une *gracieuse créature délicate et distinguée*. Pourquoi je voudrais que les autres me voient seulement comme ça? J'ai d'autres qualités, comme tout le monde. Tiens, par exemple, si on pensait que Yolanda est juste une petite chose fragile et délicate, on ne la remarquerait même pas. Et on ne se donnerait pas la peine de la regarder danser.

Angéline a pointé le menton vers la piste de danse, et effectivement, Yolanda la Délicate prenait toute la place avec des mouvements qu'on pouvait difficilement qualifier de délicats. Je suis pourtant une experte en danse. Comment j'ai fait pour **rater** ça?

Quand la musique s'est arrêtée, Isabelle est venue nous retrouver. Elle a ramassé un biscuit sur la table du buffet et elle l'a enfourné, en mastiquant avec plus d'enthousiasme qu'elle n'en avait manifesté depuis des semaines.

Elle a dit, en montrant Pinsonneau du doigt :

— Pas mal, hein? Je parie que c'est le gars le plus riche de l'école. Il serait prêt à me marier, vous savez, si je lui demandais.

Angéline s'est étouffée avec son punch. Et moi, j'ai fait :

— **HEIN?**

— Ouais. C'est pour ça que j'ai fait autant d'efforts pour être belle. Et j'ai été gentille et polie avec lui, tu sais, comme Angéline. C'est comme une **arme secrète**, genre. Personne ne peut résister. Même pas les profs.

Et elle a ajouté avec un sourire maniaque :

— J'ai tout compris, Angéline. J'ai tout compris.

— Attends un peu, là! Tu veux te marier avec Pinsonneau? a demandé Angéline sous l'effet du choc.

CRAC
CROC
CROUCHE
MIAM
MIAM
CROC
GRRR

Quel beau spectacle!

— Non, non. Bien sûr que non. Je m'exerce, c'est tout. Je me suis dit que si je savais comment attraper un gars riche tout de suite, je pourrais attraper un **homme** riche plus tard, quand je serai plus vieille.

— C'est pour ça que tu voulais que les autres pensent que tu es riche? lui ai-je demandé.

— Ouais. Parce que les gens riches fréquentent des gens riches, tout comme l'argent va avec l'argent. Hé, je pense que j'ai perdu une boucle d'oreille en dansant.

— Bonne chance! a dit Angéline, et Isabelle est repartie vers la piste de danse.

J'étais soulagée

— Alors, Isabelle n'est pas **vraiment** gentille...

— Non, a répondu Angéline. Et Pinsonneau n'est pas riche. Mais il fait tout ce qu'il peut pour mieux paraître. La cravate, les bonnes manières — Isabelle prend ça pour des signes de richesse. En plus, ça m'étonnerait que Pinsonneau soit amoureux d'elle. Il est juste content que quelqu'un ne le trouve pas trop dégueu, pour une fois.

— C'est peut-être Henri qui est le plus riche.

— Et puis après? Quelle différence ça fait? a demandé Angéline.

— Aucune différence, je suppose. Mais il est très bien élevé, faut le reconnaître, ai-je dit.

— Ses parents accordent beaucoup d'importance aux bonnes manières, et c'est probablement pour ça qu'il a craqué, tout à l'heure. Il en a eu assez. Mais il n'est pas plus riche que nous autres.

Elle s'est interrompue un instant pour regarder les jeunes sur la piste de danse.

— Et puis, regarde Isabelle — c'est facile de faire semblant d'être gentil ou de ne pas l'être. J'aime bien ce que tu as dit, sur le fait que les bonnes manières nous permettent de nous endurer. C'est à peu près juste à ça qu'elles servent, en fait.

Maintenant, je pense que c'est suffisant.

C'EST COOL DE NE PAS EMBÊTER LES AUTRES!

120

J'ai demandé à Angéline :

— Et Sébastien, penses-tu qu'il est riche, lui?

Avant qu'elle ait pu répondre, la porte de la caf s'est ouverte, et la Brunet est entrée en boitillant, appuyée sur une canne. Je me suis demandé ce qu'elle faisait là.

— Heu... a dit Angéline en souriant. Je pense qu'il se débrouille assez bien.

Elle a salué la Brunet et lui a fait un clin d'œil.

Sébastien s'est avancé vers la Brunet, il l'a serrée dans ses bras et il lui a donné un petit baiser sur la joue.

Je n'ai pas pu m'empêcher de lui dire en serrant les dents :

— AÏE! AÏE! AÏE! SÉBASTIEN SORT AVEC LA BRUNET!

— Quoi??? Sébastien, c'est le fils de la Brunet! a répondu Angéline. Tout le monde sait ça! C'est pour ça qu'il l'a remplacée. Il y avait plein de photos de lui chez elle, tu n'as pas remarqué?

Oh. Mon. Dieu. Il me **semblait** bien, aussi, que je l'avais déjà vu quelque part!

— Il ne faudrait pas qu'Isabelle oublie que, si elle marie un homme juste pour son argent, elle n'aimera peut-être pas ce qui vient avec.

Ouille! Angéline avait raison. Peux-tu imaginer de quoi les enfants auraient l'air?

Monocle parce qu'il y a seulement Isabelle qui porte des lunettes

SAMEDI 28

Cher nul,

Je suis allée chez Isabelle cet après-midi et j'ai constaté avec plaisir qu'elle était redevenue elle-même. La vue de Sébastien bras dessus, bras dessous avec la Brunet l'avait secouée jusqu'au trognon.

Elle n'avait jamais vraiment réfléchi avant au pouvoir de la gentillesse. Elle a aussi dit qu'il y a beaucoup de potentiel là-dedans, même si elle comprend maintenant que c'est très risqué de se servir de la gentillesse à tort et à travers, à cause du risque de se retrouver avec la Brunet comme **belle-mère**.

Elle a conclu que c'était bien d'être gentil, mais qu'il fallait être prudent quand on fait semblant.

À part ça, Henri m'a envoyé un courriel pour me remercier. (Ça doit être un autre effet de la bonne éducation qu'il a reçue.) Voici ce que ça disait :

Chère Jasmine —

Merci d'avoir si bien travaillé pour notre projet. J'aurais tout fait rater si tu n'avais pas été aussi brillante pendant l'exposé. Tu as été super.

Sincèrement,
Henri

P.-S. Ma mère voudrait vous inviter à souper un soir, toi, Isabelle, Angéline, Pinsonneau et Yolanda. Elle va préparer sa spécialité : des spaghettis.

Je vais encore penser au nez de Pinsonneau quand je vais en manger. Mais ça serait impoli de refuser l'invitation, et je devrais maintenant pouvoir me représenter le nez de Pinsonneau comme un élément plus *délicat et distingué* de son visage. Et puis, si jamais ça devient vraiment inconfortable, je peux compter sur Isabelle pour qu'elle pince quelqu'un.

Oh, et puis, autre chose, mon nul. Il n'y a pas juste les grands poètes qui écrivent des poèmes pour l'amour de leur vie, tu sais. J'en ai écrit un pour le mien. Ça s'intitule « **Cher journal full nul** », et ça va comme ceci :

Que je sois gracieuse
Ou enquiquineuse,
Merci de m'écouter!

Jasmine Kelly

Ça sert à quoi, les bonnes manières?

Tu penses que tu sais tout sur les bonnes manières, comme Angéline, Henri et Pinsonneau? Mets ton savoir sur les bonnes manières à l'épreuve en faisant ce petit test.

1.) Si tu rotes à table sans faire exprès, tu devrais dire :
    a. Bienvenue!
    b. Miam. C'est encore meilleur la deuxième fois.
    c. Excusez-moi.
    d. Est-ce que j'ai entendu quelqu'un dire ton nom?

2.) Si une de tes amies a de la nourriture prise entre les dents, tu devrais :
    a. La montrer du doigt en riant.
    b. L'avertir discrètement, pour qu'elle puisse enlever ça tout de suite.

c. Inventer une chanson là-dessus en espérant qu'elle comprendra en écoutant les paroles.

d. Essayer de lui enlever ça de force avec tes doigts.

3.) Pendant un repas chic, ta serviette doit être :
   a. Rentrée dans ton col, comme un bavoir.
   b. Pliée sur ta tête, comme un joli chapeau.
   c. Agitée dans les airs comme un drapeau blanc, quand tu as trop mangé et que tu te rends.
   d. Posée sur tes genoux.

4.) Quand tu réponds au téléphone, tu dois dire :
   a. Allô, résidence (ton nom de famille)!
   b. Ouais?
   c. Encore toi!
   d. Pizzeria Chez Toni, puis-je prendre votre commande?

5.) Quand tu manges de la soupe, le plus poli, c'est :
   a. De faire le plus de bruit possible pour que tout le monde sache que tu aimes ça.
   b. De mettre ton visage dans le bol pour manger, au cas où tes hôtes seraient offensés parce que tu soulèves le bol.
   c. De manger délicatement avec une cuiller.
   d. De plier ta serviette pour faire un petit bateau et de le faire flotter sur ta soupe pour faire un joli tableau nautique.

Réponses : 1.) c 2.) b 3.) d 4.) a 5.) c

HÉ! FAIS CE QUE TU VEUX POUR LE RESTE, MAIS NE CHERCHE SURTOUT PAS À LIRE LE PROCHAIN JOURNAL **TOP SECRET** DE JASMINE KELLY...

PERSONNE N'EST PARFAIT, SAUF MOI PEUT-ÊTRE

ARRÊTE DE LIRE MON JOURNAL!!

mon JOURNAL FULL nu

TU NE PEUX PAS TE PASSER DE JASMINE KELL

LIS LES AUTRES ÉPISODES DE SON JOURNAL FULL NU

Une nouvelle année :

À propos de Jim Benton

Jim Benton n'est pas un élève du secondaire, mais il ne faut pas lui en vouloir. Après tout, il réussit à gagner sa vie grâce à ses histoires drôles.

Il a créé de nombreuses séries sous licence, certaines pour les jeunes enfants, d'autres pour les enfants plus vieux, et d'autres encore pour les adultes qui, bien franchement, se comportent parfois comme des enfants.

Jim Benton a aussi créé une série télévisée pour enfants, dessiné des vêtements et écrit des livres.

Il vit au Michigan avec sa femme et ses enfants merveilleux. Il n'a pas de chien, et surtout pas de beagle rancunier. C'est sa première collection pour Scholastic.

Jasmine Kelly ne se doute absolument pas que Jim Benton, toi ou quelqu'un d'autre lisez son journal. Alors, s'il vous plaît, il ne faut pas le lui dire!